U0129313

成語典故解讀

杜振醉
施仲謀　著
杜若鴻

文史哲出版社印行

國家圖書館出版品預行編目資料

成語典故解讀 / 杜振醉,施仲謀,杜若鴻著. --
初版 -- 臺北市：文史哲,民 99.1
頁； 公分.

ISBN 978-957-549-882-5 (平裝)

1.漢語詞典 2.成語

802.35　　　　　　　　　　99002101

成語典故解讀

著　　者：杜振醉　施仲謀　杜若鴻
出版者：文史哲出版社
http://www.lapen.com.tw
e-mail:lapen@ms74.hinet.net
登記證字號：行政院新聞局版臺業字五三三七號
發行人：彭　　　　　正　　　　　雄
發行所：文史哲出版社
印刷者：文史哲出版社
臺北市羅斯福路一段七十二巷四號
郵政劃撥帳號：一六一八○一七五
電話886-2-23511028・傳真886-2-23965656

實價新臺幣三二○元

中華民國九十九年（2010）一月初版

ISBN 978-957-549-882-5　　　82011

成語典故解讀

序

　　成語是漢語詞彙寶庫中一顆璀璨的明珠，成語的語源典故是中華文化異彩紛呈的櫥窗。坊間有關成語的詞典或故事書異彩紛呈，內容各有千秋。

　　本書杜振醉、施仲謀、杜若鴻等三位作者，均潛心於中國語言、文學、歷史及文化研究，既有各自的專著，亦有合作的成果。這部別具特色的成語辭書，是其合作的又一佳構。基於作者的語文素養，以及對中國歷史的熟稔和中華文化的認知，使是書在以下方面有別於坊間同類書籍：深入淺出地演繹每一個成語的語源典故，用純粹語體文寫成鮮活生動的故事，篇幅短小精悍，兼具知識性與趣味性，可資雅俗共賞。不僅可作為華人的讀物與工具書，也可作為外籍人士學習中文的高級閱讀材料。

　　本書選用的成語，計凡五百條。詞條的選編，從實際學習需要出發，網羅現實生活中常見常用而意識健康的詞語。成語詞條依第一字筆畫多少排列。每條成語，包括五個項目，依次為典故、出處、釋義、近義與反義。其中，最具特色的項目是成語典故的解讀，為本書的精華所在，亦為本書的學術價值所繫。

　　這部成語詞典的出版，在辭書出版史上意義重大。源於作者的編寫理念，見諸全書的具體內容，期盼這部辭書能產生以下的良好效應：

　　── 擴闊讀者的學習領域；

　　── 激發讀者的閱讀興趣；

　　── 提升讀者的語文能力；

　　── 增進讀者的歷史知識；

　　── 拓寬讀者的文化視野。

信世昌博士

臺灣師範大學華語文教學研究所教授

目　　次

【一畫】

1. 一視同仁

典故： 從前有一對老公婆，偏愛大兒子，不疼愛小兒子；大兒子
十分富有，小兒子則非常窮困。於是，小兒子的媳婦埋怨
說：「公公婆婆啊，兩個兒子都是你們親生的，為甚麼你
們不能一視同仁，以同樣的態度來對待他們呢？」

出處： 見《元曲選‧殺狗勸夫》

釋義： 對人不偏心，同樣看待。

近義： 不分彼此／平等相待　　**反義：** 厚此薄彼

2. 一鳴驚人

典故： 戰國時期，齊威王繼承王位後的頭幾年，只是遊山玩水，
飲酒作樂，不注意治理國家。有一天，淳于髡對他說：
「有一隻大鳥飛進大王的宮廷已經三年了，但牠不飛也不
叫，大王知道這是甚麼鳥嗎？」齊威王一聽，便明白淳于
髡是借這隻鳥來影射自己，於是回答說：「這可不是一隻
普通的鳥呀，牠不飛便罷了，一飛就衝上雲霄；不叫便罷
了，一叫就使人吃驚。」從此齊威王便勤勤懇懇地治理國
家。

出處： 見《史記‧滑稽列傳》

釋義： 平時沒有特殊的表現，一幹起來就有驚人的成就。

近義： 一飛衝天　　**反義：** 有翅難展

3. 一身是膽

典故：漢末三國時代，劉備的部將趙雲帶領少數軍隊，駐守在漢
水附近。曹操派大軍來進攻，趙雲一點也不怕，獨自騎馬
提槍，挺立在軍營門前。曹軍看見後，懷疑有埋伏，慌忙
向後撤退。這時，趙雲一聲令下，雨點般的飛箭，向曹軍
射去，曹軍紛紛逃命。趙雲乘勢追擊，打了個大勝仗。後
來劉備稱讚說：「子龍（趙雲的字）一身都是膽啊！」

出處：見《三國志·蜀書·趙雲傳》

釋義：形容膽量極大，非常勇敢。

近義：無所畏懼　　**反義：**膽小如鼠

4. 一鼓作氣

典故：春秋時代，齊國進攻魯國，魯莊公領兵迎戰。當魯莊公準
備擊鼓進軍時，隨從曹劌卻阻止他，等到齊軍第三次擊鼓
後，曹劌才請莊公下令擊鼓衝鋒，結果把齊軍打得大敗。
後來曹劌向莊公解釋說：「作戰要一鼓作氣，齊軍在擊鼓
三次後，士氣已經衰竭，而在這時，我們才藉著第一次擊
鼓的銳氣來進攻，所以能取得勝利。」

出處：見《左傳·莊公十年》

釋義：做任何事情，一開始就要鼓足幹勁，勇往直前，爭取一舉
成功。

近義：一氣呵成　　**反義：**再衰三竭

5. 一顧之榮

典故：神話中說，天上有管天馬的星座，叫做「伯樂」。春秋時
代，秦國人孫陽善於相馬，號稱伯樂。有一次，一個賣馬
的人，牽著馬在市場上輾轉來去，沒有一個人問價。正巧
伯樂經過，見了這匹馬，特地走回來看了一看，臨去時又
回頭望了一望。於是，這匹馬立刻引起市場上所有人的重
視，售價大增。

出處：見《戰國策・燕策》

釋義：形容因名人賞識而突然身價大增。

近義：一顧價增/冀北空群

6. 一暴十寒

典故：戰國時代，齊宣王治理國家，沒有甚麼政績；孟子用仁義
的道理游說他，也不甚見效。有人認為是齊宣王的資質不
夠聰明，孟子卻認為不是這樣，他打了一個比方說：「就
算是很容易生長的植物，如果曝曬一天後，便冷凍它十
天，它也生長不起來啊！我和齊王見面的次數這樣少，即
使他是很聰明的，也不會產生甚麼效應啊！」

出處：見《孟子・告子下》

釋義：曝曬一天，冷凍十天。比喻讀書或做事沒有恆心，用功的
時間甚少，荒廢的時候居多。暴，同「曝」，曬的意思。

反義：持之以恆/鍥而不捨

7. 一諾千金

典故：秦末漢初，楚國人季布行俠仗義，樂於助人，只要他答應
幫人辦事，一定做到。有一個叫曹丘生的見到季布時，對
他說：「楚地的人現在流行著一句諺語說：『得到黃金百
斤，還不如得到季布一句諾言。』」曹丘生還到處宣傳，
使季布名揚天下。

出處：見《史記・季布欒布列傳》

釋義：一句諾言就價值千金。指說話算數，答應了的事一定做
到，很講信用。諾，許諾、諾言。

近義：說一不二/言而有信　　**反義：**言而無信/食言而肥

8. 一枕黃粱

典故：古時候，有個姓盧的書生，在旅店中遇到一名道士。交談
中，盧生不斷歎息自己生活貧困，道士便拿出一個枕頭要
他枕著睡覺。這時，店主人正在煮黃粱飯（小米飯）。盧
生一入睡，便做起夢來。夢裏，他娶了漂亮的妻子，做了
大官，享盡人生的榮華富貴。一覺醒來，發現原來是空喜
一場，感到很驚奇，而店主人的黃粱飯還沒有煮熟哩。

出處：見沈既濟《枕中記》

釋義：比喻想要實現的好事落得一場空。

近義：南柯一夢

9. 一誤再誤

典故： 古時候，皇位一般是傳給兒子，而不是傳給弟弟，更不是傳給侄兒。宋太祖 趙匡胤卻沒有這樣做，他遵從太后的意思，把皇位傳統給弟弟趙光義，那就是宋太宗。按原來的協議，太宗應該把皇位再傳給三弟光美，然後傳回太祖的兒子，他便徵求大臣趙普的意見。趙普說：「太祖已經錯了，陛下怎麼可以再錯呢？」於是太宗決定傳位給自己的兒子。

出處： 見《宋史・魏王廷美傳》

釋義： 屢犯錯誤或重複他人錯誤的意思。

近義： 重蹈覆轍　　**反義：** 前車之鑒

10. 一衣帶水

典故： 隋朝初年，隋文帝 楊堅準備攻伐陳朝，平定江南。當時，有人認為陳朝有長江天險，不可輕舉妄動。隋文帝對他的宰相說：「我是老百姓的父母，怎麼可以因為一衣帶水的阻隔而不去拯救他們呢？」表示他堅決要攻滅陳朝、統一天下的意志。

出處： 見《南史・陳後主紀》

釋義： 比喻水面像一條衣帶那樣狹窄。形容兩地只隔著一條江水，實為近鄰，往來方便。

近義： 近在咫尺　　**反義：** 天各一方

11. 一舉兩得

典故： 春秋時代，魯國有一個勇士，名叫卞莊子。有一天，卞莊子在旅館裏聽説山上出現兩隻老虎，他便要上山去同牠們搏鬥。旅館裏一個小伙計卻勸阻他説：「且慢，那兩隻老虎正在爭吃一頭牛，最後必定是一死一傷。到那時候你再上山，很容易就能打死那隻受傷的老虎，這樣你既可以少費氣力，又能得到打死兩隻老虎的美名，不是一舉兩得的事嗎？」卞莊子聽從他的話，果然取得預期的效果。

出處： 見《春秋後語》

釋義： 做一件事而得到兩種好處。

近義： 一箭雙鵰/一石二鳥　　**反義：** 得不償失/勞而無功

12. 一飯之恩

典故： 漢初大將韓信，年輕時非常貧困，連飯也吃不飽。有一次，韓信在河邊遇到一位漂洗絲麻的老婆婆；老婆婆見他餓得可憐，便把自己帶來的飯分給他吃。後來，韓信成為西漢的開國功臣，受封為淮陰侯，便去尋找那位老婆婆，送給她黃金千兩，報答以前分飯給他吃的恩惠。

出處： 見《史記，淮陰侯列傳》

釋義： 對很小的恩惠，給予豐厚的回報。

近義： 一飯之德/湧泉相報　　**反義：** 忘恩負義

13. 一箭雙鵰

典故：南北朝時，有一個大將，名叫長孫晟，十分勇武，善於射箭。他在出使突厥期間，經常陪同國王打獵。有一次，突厥國王見到天空中有兩隻鵰在爭一塊肉，就遞給他兩支箭。長孫晟縱馬向前，拉弓射去，只一箭便把兩隻鵰射了下來。

出處：見《北史·長孫晟傳》

釋義：發出一箭，就能射下兩隻鵰。比喻做一件事情能得到兩方面的好處。鵰，一種兇猛的大鳥。

近義：一石二鳥／一舉兩得　　**反義：**徒勞無功

14. 一丘之貉

典故：西漢宣帝時，有個大臣叫楊惲，聽說匈奴國王被人殺死了，就發表議論說：「昏庸的君王不採納賢臣的計謀，自然會有這種下場。秦二世寵信奸臣，殺害忠良，因而亡國；如果他親信賢臣，說不定今天還是秦朝的天下。」他最後總括一句說：「古代和現在的帝王，都是一丘之貉」。有人把他的話告訴漢宣帝，說這是誹謗，宣帝很不高興，便把楊惲免職。

出處：見《漢書·楊惲傳》

釋義：生長在同一個山裏的貉。比喻同樣都是醜類，沒有甚麼差別。貉，一種形似狐狸的野獸。

近義：狐群狗黨

15. 一竅不通

典故： 商紂王是個暴君，他寵愛美人妲己，經常無故殺害忠良。有一次，他聽信妲己的話，要殺死賢臣比干，挖出比干的心臟，便借口說：「我聽聞聖賢的心臟有七個通氣的小孔，不知比干有沒有呢？」後來，孔子評論這件事情時，深深地歎息說：「如果紂王自己的心臟有一個這樣的通氣小孔，比干就不用死了。」

出處： 見《呂氏春秋·過理》

釋義： 比喻甚麼都不懂。竅，孔、洞，這裏指心竅。

近義： 一無所知

16. 一葉知秋

典故： 《淮南子》中有這樣的一句話：「以小明大，見一葉落而知歲之將暮」。意思是說，看見一片落葉就可知道一年將盡了。唐代又有人寫了這樣兩句詩：「山僧不解數甲子，一葉落知天下秋。」也就是說，從一片落葉就可知道秋天來了。

出處： 見《淮南子·說山訓》/唐庚《文錄》

釋義： 比喻發現一點預兆，就料到事物發展的趨向。

近義： 見微知著

17. 一葉障目

典故：傳說蟬躲藏的地方，有一片葉子可隱形。有一個書呆子，把蟬藏身之處的葉子全部摘回家作試驗，一片一片地拿來遮著自己的眼睛，問妻子：「看見我嗎？」最初妻子總是答：「看得見。」問的次數多了，妻子不耐煩，就故意說：「看不見！」書呆子信以為真，歡喜若狂，便拿著這片葉子上街偷東西。結果被當場捉住，送去見官。縣官審問時，他一五一十照講了出來。眾人聽了，大笑不止。

出處：見邯鄲淳《笑林》

釋義：比喻被假像所迷惑，看不到事物的全貌或本質。

近義：掩耳盜鈴　　**反義**：明察秋毫

18. 一意孤行

典故：西漢時，趙禹擔任司法官。他為人很自負，又相當固執；制訂的刑法非常苛刻，施行的刑罰十分殘酷。同僚有甚麼請求，趙禹一概拒絕，朋友的勸告，也不肯採納，一味地按照自己的意思，獨斷獨行。

出處：見《史記‧酷吏列傳》

釋義：不肯聽從別人的勸告，堅持按照自己的意思行事。一意，指自己一個人的意思；孤行，指自己單獨行動。

近義：剛愎自用／獨行其是　　**反義**：從善如流

19. 一毛不拔

典故： 戰國時代，思想家楊朱竭力宣揚利己的思想，主張凡事都以自己的利益為出發點。他從來不做對自己無益的事，即使是像拔掉一根毛髮那麼微小的犧牲便能使普羅大眾受益的事，如果對自己沒有好處的話，他也不會去做，可説是一個極端的利己主義者。

出處： 見《孟子·盡心上》

釋義： 形容一個人極其吝嗇自私。

近義： 視財如命　　**反義：** 一擲千金/仗義疏財

20. 一落千丈

典故： 唐代詩人韓愈，有一首詩，題為《聽穎師彈琴》，描摹穎師的琴聲，表達自己聽琴的感受。詩中有這樣兩句：「躋攀分寸不可上，失勢一落千丈強。」意思是形容琴聲上升到極點，陡然下降，由高到低，千丈有餘。後來，「一落千丈」被用來比喻境況的急劇惡化。

出處： 見《昌黎先生集》

釋義： 形容地位、景況、聲譽等下降得非常厲害。

近義： 一敗塗地/聲威掃地　　**反義：** 一步登天/平步青雲

21. 一決雌雄

典故： 秦朝滅亡後，楚霸王項羽和漢王劉邦為了爭奪天下，連年互相攻打，史稱「楚漢相爭」。雙方進行「拉鋸戰」，老百姓飽受戰爭的災難。項羽希望儘快結束戰爭，以免老百姓白白受苦，於是向劉邦挑戰，要求和他痛痛快快打一場，以決雌雄，定勝敗。

出處： 見《史記·項羽本紀》

釋義： 雙方較量，以決定勝敗，分出高低。

近義： 一決勝負　　**反義：** 勝負難分

22. 一片冰心

典故： 唐代詩人王昌齡，有一首詩，題為《芙蓉樓送辛漸》，寫他清晨在江邊送別朋友辛漸的情景。詩中這樣寫道：「寒雨連江夜入吳，平明送客楚山孤。洛陽親友如相問，一片冰心在玉壺。」首兩句敘明送客的地點、時辰與天候。後面兩句，詩人託辛漸告訴洛陽的親友，說自己依然保持良好的品德，心地如冰雪般純淨潔白。

出處： 見《王昌齡集》

釋義： 形容性情純潔，自甘過著清淡的日子，不貪圖榮華富貴。

近義： 清虛自守　　**反義：** 熱衷功名/貪圖富貴

23. 一錢太守

典故： 東漢時，劉寵為會稽郡太守，為官清廉。當他榮調的時候，有幾個住在深山中的白髮老人，相互扶持，前來送行。他們每人攜帶一百錢，要奉贈給這位即將離任的父母官，以表示尊敬愛戴的心意；劉寵十分感動，選收每人一個大錢，以表示承領他們的盛情，並作為紀念。會稽人因此稱劉寵為「一錢太守」。

出處： 見《後漢書·劉寵傳》

釋義： 清官廉吏的代稱。太守，古代一種地方官的職銜。

反義： 貪官污吏

24. 一錢落職

典故： 從前有一個書生，在書店裏看見一個少年掉了一枚錢在地上，他便暗暗地用腳踩著，等少年走後再彎腰拾起。旁邊一個老人家看在眼裏，探問了書生的姓名，然後冷笑著走開。後來，這個書生得到了江蘇 常熟縣知縣的官職，要求見他的上司湯公；湯公不肯見他，說他將來一定是個貪官，要他辭職。書生不服氣，湯公叫下屬傳話問他：「你不記得當年在書店中發生的事嗎？」書生至此方才明白當年問他姓名的人就是湯公。

出處： 見沈起鳳《諧鐸》

釋義： 因為一個錢而丟掉了官職。指貪小利而誤大事。

近義： 因小失大　　**反義：** 分文不取

25. 一揮而就

典故： 唐代有個才子，名叫王璘。一次，他與朋友在花園中作詩，援筆鋪紙，一下子就寫出「鳥散花落詩」三十首。沒料到突然來了一陣暴風雨，把詩稿全部颳入泥水中。朋友們為他惋惜，王璘卻若無其事，叫書童重新取出紙筆墨硯，不一會兒又寫了十幾首。大家見此情景，都驚奇地說：「一揮而就，真有本領。」

出處： 見王保定《摭言‧薦舉不捷》

釋義： 一揮筆便完成了。形容作文、繪畫或寫字的速度很快。就，成功、完成。

近義： 下筆成文/援筆立成　　**反義：** 搜索枯腸/絞盡腦汁

26. 一筆勾銷

典故： 宋朝時候，范仲淹出任參知政事（副宰相），有心進行政治改革，清除過去的積弊。他把那些不稱職的官吏姓名從登記冊上一筆勾去。同僚富弼知道後對他說：「你倒很簡單，一筆勾去就完事，哪裏知道被勾掉者一家人都在哭啊！」范仲淹回答說：「一家人哭，總沒有一路人都在哭那麼要緊。」

出處： 見朱熹《五朝名臣言行錄》

釋義： 把帳目一筆抹去。比喻把一切完全取消。

近義： 一筆抹殺　　**反義：** 耿耿於懷

27．一廂情願

典故：古時候有個傻瓜，有一次到城裏去玩，偶然遇見了國王的女兒。回家後，公主那天仙般的容貌姿態使他日夜難忘，總想要娶公主為妻。這個傻瓜朝思暮想，竟然生起病來。親友們只好假意勸慰他說：「你不要憂愁，這事容易辦，我們可以幫你成事。」傻瓜聽了，高興地說：「這下好辦了，只要我再進城一趟，就可以娶到公主了。」

出處：見《百喻經》

釋義：比喻處理彼此有關的事情時，只憑自己的意願作出決定，不管對方是不是願意。廂，也作「相」。

近義：自以為是　　**反義：**兩相情願

28．一場春夢

典故：蘇東坡是宋代傑出的文學家。但他在仕途上不大得意，經常被貶謫，曾被貶到瓊州。一天，蘇東坡揹著一隻大瓢，在瓊州鄉間的道路上邊走邊吟詩，一位白髮蒼蒼的老婆婆見了，和他攀談了起來。最後，老婆婆說：「您過去在朝中當翰林學士時十分富貴，現在看來只不過一場春夢罷了。」蘇東坡笑著回答道：「您老人家說得很有道理啊！」

出處：見趙令畤《侯鯖錄》

釋義：比喻美好的設想遭到破滅，也比喻壞人的痴心妄想落空。

近義：一枕黃粱／南柯一夢　　**反義：**如願以償

29. 一帆風順

典故： 我國很早就發明了帆船，依靠風力作用於張掛在船桅上的布篷推船前進。從而，在詩歌文章中，有許多描狀帆船運行的語句。唐代詩人王灣，有兩句詩，形容順風揚帆的情景：「潮平兩岸闊，風正一帆懸。」宋代詩人楊萬里有兩句詩，形容這種情景；「明早都梁各分手，順風便借一帆回。」「一帆風順」這個成語，就從這裏演變而來。

出處： 見王灣《次北固山下》/楊萬里《曉出洪澤，霜晴風順》

釋義： 船隻張帆順風行使，比喻境遇非常順利。

近義： 勢如破竹　　**反義：** 一波三折

30. 一網打盡

典故： 北宋時，大臣蘇舜欽支持范仲淹的政治革新，受到守舊勢力的排擠。有個名叫劉元瑜的官員，上書彈劾蘇舜欽，橫加誣陷。因此而受牽連的人很多，有的被貶謫，有的被罷官，朝中人才，為之一空。事後，劉元瑜對當權的宰相說：「這次總算被你一網打盡了。」

出處： 見魏泰《東軒筆錄》

釋義： 撒下一張漁網，把池中所有的魚全部捕撈，一尾不漏。比喻全部抓住或徹底肅清。

近義： 趕盡殺絕　　**反義：** 網開一面

31. 一言為重

典故：春秋 戰國時期，秦國的商鞅進行變法。為了使國民相信新法一定要執行，便在都城南門立了一根三丈高的木柱，並發出佈告說：誰能把木柱搬到北門，就賞賜他十兩黃金。國民不知這是甚麼意思，沒人去搬。商鞅又宣佈：如有人去搬木柱，賞賜五十兩黃金。於是，有一個膽大而有力氣的人就把木柱從南門搬到了北門。商鞅見了，非常高興，立即賞給這人五十兩黃金。國民認定商鞅說話算數，新法一定會推行。

出處：見《史記·商君列傳》

釋義：說明言行一致，說得出，做得到。

近義：一諾千金　　**反義：**食言而肥

32. 一刻千金

典故：宋代詩人蘇東坡，有一首詩，題為《春宵》，寫春天的良宵美景，令人珍惜。詩中這樣寫道：「春宵一刻值千金，花有清香月有陰。歌館樓台聲細細，鞦韆院落夜沉沉。」首句開門見山，說春天的晚上時光很寶貴，一刻可值黃金千兩。

出處：見《千家詩》

釋義：比喻時光的寶貴。

近義：愛惜分陰　　**反義：**光陰虛度

33. 一字千金

典故：戰國時代，秦國宰相呂不韋讓他的下屬編成一部書，名叫
《呂氏春秋》。書寫成後，感到很得意，把原稿張貼在首
都咸陽的城門上，並發出布告：「如果有人能增添或刪減
其中一字的話，便賞賜黃金千兩。」後來，人們便用「一
字千金」來稱讚精妙的詩歌或文章。

出處：見《史記・呂不韋列傳》

釋義：一個字可值千兩黃金。稱譽詩歌或文章寫得很好。

近義：字字珠璣　　**反義：**陳詞濫調

34. 一字之師

典故：唐朝時候，有一個名叫齊己的和尚，很喜歡寫詩，並講求
字句的推敲。有一次，他寫了一首五言詩，題為《早梅》。
寫成後，拿去與朋友鄭谷仔細琢磨。鄭谷把詩中的「前村
深雪裏，昨夜數枝開」兩句，反復吟了幾遍，然後說：
「『數枝』不足以點明『早』的意思，不如改為『一枝』。」
齊己聽了拍案叫絕。鄭谷因此獲得「一字師」的稱譽。

出處：見許有功《唐詩紀事》

釋義：稱譽擅於修改詩歌或文章的人。

近義：一字千金

35. 一知半解

典故： 宋代的大文豪蘇東坡，詩詞散文的成就都很高。有一個叫
陳師道的，評論蘇東坡的詩，說他早期學劉禹錫，晚期學
李白。後人不贊成陳師道這種看法，認為蘇東坡的詩獨創
一格，千古特立，不能簡單地說他學某個詩人，陳師道對
蘇東坡的詩，只不過一知半解而已。

出處： 見《唐宋詩醇》

釋義： 形容知道得不全面，理解得不透徹。

近義： 皮毛之見　　**反義：** 融會貫通

36. 一張一弛

典故： 春秋時代，有一年年終，孔子的學生子貢去觀看民間祭
神，回來後，孔子問道：「你看那些人快樂嗎？」子貢回
答說：「簡直快樂極了，又是叫，又是跳，又是喝酒，我
真不明白他們為甚麼這麼快樂！」孔子解釋說：「這叫做
『一張一弛』，老百姓一年到頭辛苦勞作，難得有這樣一
天，休息休息，娛樂娛樂，當然歡喜若狂了。」

出處： 見《禮記·雜記下》

釋義： 比喻處理問題有寬有嚴，安排工作有鬆有緊。

近義： 寬猛相濟／一剛一柔

【二畫】

37. 二桃三士

典故：春秋時代，齊國有三個勇士，名叫公孫接、田開疆、古冶子。他們都為國家立過大功，但性情剛烈，不好控制。宰相晏子設計除掉這三個人，請齊景公用兩個桃子去賞賜他們，要他們論功吃桃。公孫接先談自己的功勞，談完後即拿了一個桃子。接著是田開疆。最後，古冶子的功勞比他們兩人大，談完卻得不到桃子。於是，古冶子拔出寶劍，要他們把桃子還轉來。公孫接和田開疆羞慚自殺；古冶子後悔自己過於魯莽，也自殺身亡。

出處：見《晏子春秋・諫下》

釋義：用計讓三個人爭吃兩個桃子而自殺。比喻借刀殺人。

近義：一箭雙鵰

38. 七擒七縱

典故：三國時候，蜀國南方的蠻族首領孟獲起兵造反，諸葛亮出師平亂。兩軍一開戰，蜀軍大獲全勝，生擒了孟獲。諸葛亮問孟獲心中服不服。孟獲說：「我是在狹窄的山路中誤遭你的伏兵，如何肯服？」諸葛亮便把他放了回去。接著，孟獲重新整軍來戰，再次被擒，但又表示不服，諸葛亮便再放他回去。如此直至第七次，諸葛亮要再把他放回去，孟獲卻說「『七擒七縱』自古少有，我心服了」。

出處：見《三國志・蜀書・諸葛亮傳》

釋義：七次俘虜，七次放走。比喻運用計策，使對方心服。

近義：攻心為上　　**反義**：屠城滅邑

39. 七上八下

典故：《水滸傳》故事中的好漢<u>武松</u>，哥哥<u>武大郎</u>被嫂嫂<u>潘金蓮</u>和惡霸<u>西門慶</u>合謀害死。一天，<u>武松</u>在家中擺下酒宴，請來一些街坊鄰居。喝了兩三杯酒後，一個名叫<u>胡正卿</u>的，曾經當過小吏，見氣氛不對，便起身告辭，<u>武松</u>卻把他攔住，不許動身。<u>胡正卿</u>坐立不安，心頭像十五個吊桶打水，七上八下。酒宴完畢，<u>武松</u>當眾審問<u>潘金蓮</u>，並要<u>胡正卿</u>從實記下。然後，把<u>潘金蓮</u>殺掉；接著，又打死了<u>西門慶</u>，為大哥報仇。

出處：見《水滸傳》第二十六回

釋義：心中慌亂不安，不知如何是好。

近義：六神無主　　**反義：**心安理得

40. 七步成詩

典故：<u>三國</u>時，<u>魏文帝 曹丕</u>妒忌弟弟<u>曹植</u>的才華。有一次，<u>曹丕</u>限<u>曹植</u>在走七步路的時間內要作成一首詩，否則就要治他的罪。<u>曹植</u>想了想，還沒有走完七步路就作好一首詩，並吟了出來：「煮豆燃豆萁，豆在釜中泣。本是同根生，相煎何太急？」<u>曹丕</u>當時心裏當然很不是滋味，但也沒有辦法，而<u>曹植</u>「七步成詩」的詩才，則成為千古佳話。

出處：見《世說新語·文學》

釋義：走七步路，便能作出一首詩。形容才思敏捷，詩詞或文章寫得又快又好。

近義：倚馬可待　　**反義：**<u>江郎</u>才盡

41. 七尺之軀

典故：戰國時代，有一位思想家，叫做荀子。荀子勸人學習必須
認真思考，才有效果。他說：「如果剛聽到別人的一些議
論，不加思考，不作分析，只是一知半解，就誇誇其談，
那麼，從耳朵進，到嘴巴出，嘴巴與耳朵之間，相距不過
四寸，那又怎能用學問來修養七尺之軀呢？」

出處：見《荀子‧勸學篇》

釋義：七尺高的身材。形容不肯隨便向人低頭屈辱，就是俗語所
說的男子漢、大丈夫。

近義：七尺昂藏

42. 八斗之才

典故：曹植，字子建，是三國時代一個很有才華的詩人和文學
家。他的「七步詩」，千古傳誦。後世的人，對曹植十分
欽佩。南北朝時，有一個詩人叫謝靈運，對曹植作了這樣
的稱譽：「天下文才共一石（音「旦」，一石等於十斗），
而子建獨得八斗。」

出處：見《謝康樂集》

釋義：形容文才超群，學問高深。

近義：七步之才/七步八斗

43. 八面威風

典故： 元朝末年，朱元璋起事，勢力不斷發展，準備進軍江南。有一年春節，他與大將徐達同乘一條小船，橫渡長江。船夫見他們二人氣宇不凡，便高聲喊著口號說：「聖天子六龍護駕，大將軍八面威風。」朱元璋明白這是對皇帝的祝頌語，心中暗自高興，便與徐達輕輕地踢著腳，互相表達慶賀之意。後來，朱元璋成為明朝的開國皇帝，即明太祖，徐達為開國的第一功臣。明太祖找到這個船夫，給他許多賞賜，並將他那條小船塗上朱紅的顏色。

出處： 見《碧里雜存》

釋義： 形容聲勢顯赫、威望極盛的樣子。

近義： 威風凜凜　　**反義：** 人微言輕

44. 九牛一毛

典故： 西漢時候，歷史學家司馬遷因為得罪了漢武帝，受到極為殘酷和恥辱的「宮刑」。他內心痛苦萬分，很想一死了之。但他冷靜一想，假如當時被處以死刑，在達官貴人眼中，不過像九頭牛失掉一根毛一樣，與螞蟻有甚麼不同呢？這樣死去，就更加沒有價值了。終於，他決心活下來，忍受奇恥大辱，從事著述，寫成了《史記》這部偉大著作。

出處： 見司馬遷《報任少卿書》

釋義： 比喻多數中的極少數，或某種事物很渺小。

近義： 滄海一粟

45. 九死一生

典故：戰國時代，楚國的詩人屈原，非常熱愛自己的國家，很有
政治抱負。但楚王聽信奸臣的話，屈原遭到貶謫放逐，長
期流浪。他眼見楚國就要滅亡，深感政治理想無法實現，
寫成了《離騷》一篇，抒發他的滿腔悲憤，其中有這樣兩
句：「亦余心之所善兮，雖九死其猶未悔。」意思是說，
為了追求自己的理想，雖九死而無一生，也不會後悔。

出處：見劉向輯集《楚辭選》

釋義：形容歷盡艱險，死裏逃生。

近義：萬死不辭

46. 十二金牌

典故：南宋初年，民族英雄岳飛堅持抗金。他所率領的岳家軍，
經常打勝仗。金兵一聽到岳家軍的名字就害怕，哀歎「撼
山易，撼岳家軍難」。正當岳飛乘勝進軍的時候，宰相秦
檜卻主張與金兵議和，慫恿宋高宗，一日連發十二道金
牌，要岳飛班師回朝。岳飛流著眼淚，憤激地說：「十年
之功，廢於一旦。」

出處：見《宋史‧岳飛傳》

釋義：十二道傳達緊急軍令的金字牌。用來代稱各種緊急的命
令。

近義：流星飛馬/王命急宣

47. 十襲而藏

典故： 從前，有一個人，拾到一塊又光又亮的石頭，他以為是一件寶物，到處誇耀。一天，鄰居和親戚朋友齊集他家中，向他祝賀，同時要求欣賞欣賞這件寶物。這人拿出一口大箱子，打開一看，裏面也是口箱子；再打開看，箱子裏還是箱子。最後從第十口小箱子裏，取出一個紅綢小包裹。他打開紅綢，還有一層紅綢包著；一層又一層，共包著十層。當他打開第十層紅綢時，寶物呈現，原來卻是一塊普通的石頭，大家不約而同，哄堂大笑。

出處： 見《太平御覽·地部》

釋義： 形容小心珍藏。十襲，包裹好多層的意思。

反義： 棄如敝屣

48. 十年樹木

典故： 春秋時代，有一個政治家，叫做管子，十分重視人才的培養，他說：「種植穀子，一年就能有所收穫；種植樹木，要十年才能有所收穫；至於培養人才，就要作更長遠的打算了。」後來，人們就用「十年樹木，百年樹人」這句話來說明培養人才的重要性及其不容易。

出處： 見《管子·權修》

釋義： 種植樹木，要十年後才能成材。比喻培養人才極不容易，是一項長遠之計。樹，用作動詞，即種植、培育的意思。

近義： 百年樹人

49. 刀耕火耨

典故：中國是一個以農業為主要產業的國家。古時候，在多山地區，農人播種前，常常先伐去林木，燒去野草，並以草木灰肥田，改良土壤，然後墾為耕地，以播種農作物。史書上記載：「梁漢之間，刀耕火耨。」在古代詩詞文章中，也經常提到這種刀耕火耨的情形。

出處：見《舊唐書·嚴震傳》

釋義：一種原始的農業耕作方法。

近義：火耕水耨／刀耕火種

50. 人微權輕

典故：春秋時代，齊國有一個軍事家，名叫司馬穰苴。他任齊國的大將，奉命要出征時，對國君說：「我本是一名士卒，出身卑賤，承望大王破格提拔，地位在卿大夫之上，但三軍尚未歸心，百姓尚未信服，人微權輕，希望能得到一個您所寵信的大臣作為監軍，以便發號施令。」齊國國君採納了他的意見。

出處：見《史記·司馬穰苴列傳》

釋義：形容資歷淺，聲望低，威權不足以服眾。

同義：人微言輕　　**反義：**位高權重／一言九鼎

51. 人一己百

典故： 古書上講了這樣一個道理：「別人用一分力量去學會某種技能，自己就用上一百分的力量；別人用十分的力量去學會某種技能，自己就用一千分的力量。」一個人只要能夠這樣做，即使他本來是愚笨的，也會變得聰明起來；即使他本來是懦弱的，也會變得剛毅起來。

出處： 見《禮記・中庸》

釋義： 別人用一分力量，自己用一百分的力量。形容用百倍的努力趕上別人。

近義： 駑馬十駕

52. 人琴俱亡

典故： 古時候，有兩個兄弟，名叫王徽之和王獻之。王獻之得了重病，醫治無效，先去世了。王徽之到靈堂上吊唁亡弟。他拿起王獻之生前彈過的琴，想彈一曲以抒發自己的悲傷，可是，調弦調了半天，琴音總是調不好，於是把琴扔在地上，說：「子敬啊子敬（獻之的字），你和琴都死了啊！」說完之後，悲慟欲絕。過了一個月，王徽之也去世了。

出處： 見劉義慶《世說新語・傷逝》

釋義： 人死了，他用過的琴也無法彈了。形容看到遺物，引起對死者悼念的悲痛心情。

近義： 睹物思人

53. 人面桃花

典故：據說，唐代詩人崔護，曾經有這樣的奇遇：有一年清明
　　　　節，崔護到京城南郊遊玩，看到一幢桃花環繞的屋子，他
　　　　正好口渴，就敲門討水喝。柴門開處，一個漂亮的女子給
　　　　了他一碗水，並羞答答地望了他一眼。到了第二年清明，
　　　　崔護想起舊事，又來到這裏，可是門已鎖住，敲了好久也
　　　　沒人應。崔護非常傷心，就在門上題了一首詩：「去年今
　　　　日此門中，人面桃花相映紅。人面不知何處去，桃花依舊
　　　　笑東風。」

出處：見孟棨《本事詩・情感》

釋義：形容美好的人物已經不在，只有景色依舊，令人更加覺得
　　　　傷感。

近義：物是人非／人去樓空

54. 人言可畏

典故：古代有一首情歌，題為《將仲子》。詩中描述一位女子，
　　　　懷念她的情人仲子，希望見到他，但又害怕被人發覺了要
　　　　說閒話。這首詩的最後部分這樣寫道：「請求您啊，仲
　　　　子！不要爬進我家的後花園，不要折損我種的檀香樹。我
　　　　哪裏是愛惜檀香樹呢，怕的是有人說閒話。仲子啊仲子，
　　　　你是多麼叫我想念，可別人的閒話又多麼可怕！」

出處：見《詩經・鄭風》

釋義：人們的議論是可怕的。

近義：積讒銷骨　　　**反義**：我行我素

55. 人人自危

典故：秦朝末年，秦始皇在出巡的途中暴病身亡。宦官趙高串通
丞相李斯，與秦始皇的小兒子胡亥合謀，讓胡亥繼承皇
位，而叫太子扶蘇自盡。胡亥就是秦二世。秦二世昏庸暴
虐，生怕陰謀敗露，先殺害了大將蒙恬，接著又殺害了二
十幾個兄弟姐妹，受牽連者則不計其數，弄得朝廷上下恐
怖萬分，人人自危，暗中都想叛秦。

出處：見《史記‧李斯列傳》

釋義：人人都感到自己的處境危險，心中忐忑不安。

近義：人心惶惶　　**反義：**高枕無憂

56. 人傑地靈

典故：唐朝初年，唐高祖的兒子滕王李元嬰在出任洪州都督
時，興建了一幢樓房，以他的封號為名，稱為「滕王閣」
（故址在今江西省南昌市贛江之濱）。有一次，傑出的文
學家王勃經過這裏，剛好碰上滕王閣的主人在大宴賓客，
王勃即席揮毫，寫下一篇文章，題為《滕王閣序》，成為
千古傳誦的名篇。文章開頭，盛讚滕王閣所在的地方，環
境很好，人物有俊傑，地方有靈氣，人傑地靈。

出處：見《王子安集》

釋義：原指山川靈秀，產生傑出人才。後來一般指傑出人物降生
或到過，這一地方也就成為名勝之區。

近義：鍾靈毓秀

57. 入木三分

典故： 王羲之是晉代的大書法家，他寫的字雄渾有力，極受推崇。據說，他曾替人在木版上寫祭祀的文章，木版用完後，木工就嘗試把版上的文字削掉，誰知墨跡竟然深入木版中足足有三分之深。

出處： 見《書斷》

釋義： 原是形容書法筆力剛勁。後用來比喻見解或議論深刻透徹。

近義： 力透紙背　　**反義：** 淺嘗即止

56. 力透紙背

典故： 張旭是唐代著名的書法家，他的草書風格奇特，成就極高，與李白的詩歌、裴旻的劍舞，在當時被稱為「三絕」。相傳張旭常常在大醉後瘋狂呼喊奔走，然後落筆疾書，因此外號「張顛」。另一位書法家顏真卿十分欣賞張旭的筆法，稱讚他「用鋒常欲使其透過紙背」。

出處： 見顏真卿《張長史十二意筆法記》

釋義： 原是形容書法剛勁有力。後也用來形容詩文立意很好，表達得非常深刻。

近義： 入木三分

59. 力不從心

典故：東漢時，班超通西域，建立了很大的功勞，被封為定遠
侯。他長期在西域奮鬥，漸漸年老體衰，渴望退休回鄉，
於是向漢章帝上書，希望能夠活著回來。妹妹班昭對他的
處境非常同情，也為他上書說：「如果西域有突然的事件
暴發，班超的氣力已不能順從他的心願了……這是一種很
痛心的事啊。」漢章帝被他兄妹倆的上書所感動，便同意
讓班超告老回歸洛陽，安享晚年。

出處：見《後漢書·班超傳》

釋義：心裏想做，可是力量不足，不能順從其心願。

近義：無能為力　　**反義：**得心應手

60. 力可拔山

典故：秦朝滅亡後，楚霸王項羽與漢王劉邦為了爭奪天下，進
行了長達四年的戰爭。結果，項羽戰敗，被圍困在垓下這
個地方。當他準備率領殘兵突圍、進行殊死戰斗的前夕，
作了一首絕命詩《垓下歌》，開頭一句是「力拔山兮氣蓋
世」，意思是說，自己的勇力可以把一座山連根拔起，叱
咤風雲的氣概超過任何一個人，顯現了一個蓋世英雄的形
象。

出處：見《史記·項羽本記》

釋義：形容十分勇武，力大無邊。

近義：氣蓋山河

【三畫】

61. 三顧茅廬

典故： 東漢末年，天下大亂，英雄豪傑群起爭霸，劉備是其中一個。他聽說諸葛亮是一個很有才能的人，隱居在隆中臥龍岡，便與關羽、張飛前往茅廬中拜訪，請諸葛亮出來相助。第一次拜訪，諸葛亮出外去了，劉備失望而歸。第二次再去，諸葛亮遊山玩水去了，又沒有見到。第三次去拜訪時，諸葛亮正在睡覺，劉備沒有驚動他，一直等到他醒來，才上前說明來意。諸葛亮感到劉備很有誠意，便答應出山相助。

出處： 見《三國志‧蜀書‧諸葛亮傳》

釋義： 比喻誠心誠意地拜訪或邀請。顧，拜訪。茅廬，草屋。

近義： 禮賢下士

62. 三寸之舌

典故： 戰國時代，秦國的軍隊包圍趙國都城邯鄲，趙王派平原君向楚國求救，開始時，楚王不肯出兵。平原君手下有個叫毛遂的人，口才很好，他把楚國和趙國聯合對付秦國的意義，分析得十分透澈，終於說服了楚王，派兵救趙。事後，平原君誇獎毛遂說：「毛先生的三寸舌頭，勝過百萬大軍。」

出處： 見《史記‧平原君列傳》

釋義： 比喻口才很好，能言善辯。

近義： 巧舌如簧

63. 三省吾身

典故：春秋時代，孔子的學生曾參，很注意品德修養，經常作自我檢討，他說：「我每天都多次問自己：替人辦事盡心竭力了嗎？對朋友有沒有以誠相待？老師教授的學業有沒有好好複習？」曾參這種自我反省的精神，使他成為一個道德高尚、學問淵博的人。

出處：見《論語‧學而》

釋義：時常檢討自己的言行，看看有沒有過失。省，檢討自己。

近義：反躬自問／撫心自問

64. 三思而行

典故：春秋時代，魯國的大夫季文子，為人老誠持重，遇事謹言慎行，因此他在處理事務上就比較穩妥。也正因為這樣，他連續擔任了魯國四代君主的大夫，並做出一定的政績。魯襄公時，季文子去世，魯國人都稱讚他說：「季文子三思而後行。」

出處：見《論語‧公冶長》

釋義：比喻遇事反覆考慮清楚，然後才去做。

近義：深思熟慮／謀定而動　　**反義：**草率從事／輕舉妄動

65. 三人成虎

典故： 戰國時代，魏國的大臣龐葱將要出使趙國，他恐怕自己離開魏國後會有人趁機在魏王面前中傷他，便對魏王說：「假如有一個人向大王報告，說都城的大街上來了一隻老虎，您一定不會相信。但倘若接二連三有人這麼報告的話，您便自然會相信了；這就是所謂『三人言而成虎』的道理。」魏王說：「我明白你的意思了，你放心吧。」可是魏王最後還是相信了那些中傷龐葱的話，龐葱回國後，便不再被重用了。

出處： 見《戰國策‧魏策二》

釋義： 比喻一句謠言或一件虛假的事，說的人一多，就有使人信以為真的可能。

近義： 曾參殺人

66. 三令五申

典故： 春秋時代，吳王讀了軍事家孫武的《兵法》一書，十分欣賞，便請孫武示範兵法。因為在宮內不便召集軍隊，吳王便要宮女按孫武的指示，分成兩隊嘗試列陣訓練。孫武十分認真，擺出執行軍法的大斧，三番五次地講明命令。吳王的寵姬不聽約束，嬉嬉笑笑，孫武立即按軍法把兩名帶頭的妃子斬首，於是再沒有人敢違抗命令。孫武因此而深得吳王信任。

出處： 見《史記‧孫子吳起列傳》

釋義： 再三告誡，多次下達命令。令，下達命令；申，表達、說明。

近義： 再三警告／嚴明約束

67. 三字之獄

典故： 南宋初年，宰相秦檜私通金國，他為了與金人議和，便暗中陷害堅時抗金的岳飛。秦檜指使爪牙，誣陷岳飛謀反，把岳飛逮捕下獄，並派他的死黨審問岳飛，捏造了許多似是而非的狀罪。大將韓世忠抱不平，親往相府責問秦檜：「岳飛謀反有甚麼證據？」秦檜吞吞吐吐地說：「其事莫須有。（也許有、不定有的意思）」韓世忠憤怒地說：「『莫須有』三字，怎能叫天下人心服？」

出處： 見《宋史·岳飛傳》

釋義： 冤案、無中生有的罪狀。三字，即「莫須有」三個字。

反義： 鐵證如山

68. 三遷教子

典故： 孟子是戰國時代的儒家大師，他的父親很早就去世了，由母親撫養成人。孟母帶著幼年的孟子，起初住在一座公墓附近，孟子就去學祭祀哭喪的樣子。孟母覺得不對頭，就把家搬到集市附近，孟子又去學那商人大吹大擂的玩意。孟母又覺得不合適，就再把家搬到一所學校附近；這時，孟子就開始學習禮儀，並要求上學了。於是，孟母就在這裏定居下來。

出處： 見《列女傳》

釋義： 選擇良好的居住環境，以利管教孩子。三遷，三次搬家。

近義： 斷機教子

69. 三紙無驢

典故：從前，有一個讀書人，自以為很有才學，喜歡賣弄文墨，人們稱他為「博士」，實則帶有諷刺的意味。有一天，「博士」家買了一頭驢子，要寫一張簡單的買賣契約。於是，他便提筆鋪紙，口中唸唸有詞，寫了起來。一連寫了三大張紙，天色已近黃昏，賣驢的人等得不耐煩了，便要博士少寫幾句，好讓他早些回家，「博士」卻叫他不要著急，說馬上就要寫到「驢」字了。

出處：見《顏氏家訓‧勉學》

釋義：形容寫文章或講話不得要領，雖然寫了一大篇，說了一大套，卻還沒有接觸正題。

近義：離題萬里　　**反義：**一語破的

70. 三戶亡秦

典故：戰國末期，六國被秦國逐個吞併，要算楚國最為淒慘。楚懷王訪問秦國，被無故扣留，終於死在秦國。楚人一提起這年事，總是憤憤不平。因此，有一個叫楚南公的，曾預言道：「楚雖三戶，亡秦必楚。」意思是說，楚國地方即使只剩下三戶人家，一有機會，還是要報仇雪恥的，將來推翻秦朝統治的一定是楚人。後來秦朝的主力軍果然被楚人項羽擊敗，隨即滅亡。

出處：見《史記‧項羽本記》

釋義：比喻國家民族的恥辱是忘不了的，只要老百姓沒有被斬盡殺絕，有朝一日，總是要起來報仇雪恥的。

近義：一夫作難

71. 千方百計

典故： 古典小說《紅樓夢》裏有這樣一個情節：林黛玉為人多愁善感；一次，有人送她一些精品禮物，都是來自家鄉蘇州的；黛玉觸目傷情，不覺淚流滿面；丫頭紫娟深知黛玉的心情，但不敢說破，只是在一旁勸道：小姐您身體有病，府中千方百計請好大夫配藥診治，剛剛好了一些，不要再這樣哭哭啼啼。

出處： 見《紅樓夢》六十七回

釋義： 想盡一切方法，用盡一切計謀。

近義： 費盡心思　　**反義：** 無計可施/一籌莫展

72. 千鈞一髮

典故： 漢代文學家枚乘曾經打一個比方說，如果你用一根頭髮去綁著千鈞重的東西，然後把它懸掛在萬尺的懸崖上，下面就是無底的深淵，就算是極愚蠢的人，也會因為它將會斷掉而感到悲哀。

出處： 見《漢書·枚乘傳》

釋義： 把三萬斤重的東西掛在一根頭髮絲上。形容形勢十分危急。鈞，古代重量單位，一鈞為三十斤，千鈞等於三萬斤，這裏是概數。

近義： 燃眉之急/岌岌可危　　**反義：** 安如泰山

73. 千篇一律

典故：張華是<u>西晉</u>時代的文學家。他寫了很多詩，內容都是寫兒女之情的，沒有甚麼變化。<u>南北朝</u>時，<u>鍾嶸</u>寫了一部品評詩歌的書，名叫《詩品》。其中引述了詩人<u>謝靈運</u>對<u>張華</u>的批評，說他的作品千篇一律。

出處：見<u>鍾嶸</u>《詩品》

釋義：指文章內容老一套，公式化，也泛指事物只有一種形式，沒有變化。

近義：一成不變　　**反義：**千變萬化

74. 千變萬化

典故：傳說<u>西周</u>時代，<u>周穆王</u>到西方巡遊，在回京途中，遇到一個非常靈巧的工匠，名叫<u>偃師</u>，說他造出了好多能歌善舞的人。第二天，<u>偃師</u>帶著這些假人去拜見<u>穆王</u>，把它們擺在舞廳之中。在<u>偃師</u>的指揮下，假人真的會唱會跳，而且唱起歌來旋律合拍，跳起舞來姿態優美，真是「千變萬化，惟意所適」。<u>穆王</u>愈看愈高興，把他的妃子也召來一齊觀賞，並給<u>偃師</u>很多賞賜，但<u>偃師</u>辭謝不受，飄然而去。

出處：見《列子·湯問》

釋義：變化無窮的意思。

近義：變化多端　　**反義：**一成不變

75. 千里鵝毛

典故：從前，有一個地方官，派他的屬下<u>緬伯高</u>上京進貢一隻天
鵝給皇帝。<u>緬伯高</u>在路經<u>沔陽湖</u>時，想給天鵝洗洗澡，不
料一鬆手天鵝就飛跑了，只落下一根鵝毛。他誠惶誠恐地
把這根鵝毛送進京去，獻給皇帝，並口吟一首詩道：「將
鵝貢<u>唐</u>朝，山高路遠遙。<u>沔陽湖</u>失去，倒地哭號號。上覆
<u>唐</u>天子，可饒<u>緬伯高</u>。禮輕人意重，千里送鵝毛。」
（按，詩中的「唐」指<u>中國</u>，不定為那個朝代）皇帝見他
態度真誠，有些可憐，便饒恕了他。

出處：見<u>徐渭</u>《青藤山人路史》

釋義：比喻禮物雖然很輕微，但卻寄託了深厚的情意。

近義：物輕意重

76. 千載一時

典故：<u>唐</u>朝後期，<u>唐憲宗</u>算是一個比較有作為的皇帝，在他的治
理下，國家出現了中興氣象。當時，文學家<u>韓愈</u>，從<u>潮州</u>
刺史任上，上了一份奏章，極力稱頌<u>憲宗</u>施政雷厲風行，
挽回了國家衰運，使各種事業重新興盛起來，並勸請<u>憲宗</u>
到<u>泰山</u>「封禪」，把功德奉告上天，說這真是所謂「千載
一時，不可逢之嘉會」。

出處：見<u>韓愈</u>《潮州刺史謝上表》

釋義：一千年才遇到這麼一次好機會。形容機會難得與可貴。

近義：千載難逢　　**反義**：司空見慣

77. 千慮一得

典故： 楚漢相爭時，韓信帶兵攻打趙國。李左車是趙王歇的軍師，很有謀略；趙王因為沒有採納他的計策，被韓信打得大敗。韓信俘虜了李左車，以禮相待。當時，韓信準備繼續攻取燕國和齊國，李左車向韓信提出了正確的建議。但他在提出建議前，客氣地說：「我聽人說道：『智者千慮，必有一失；愚者千慮，必有一得。』我的建議未必全部可取，不過貢獻一點愚者的忠言，供將軍參考罷了。」

出處： 見《史記·淮陰侯列傳》

釋義： 一個人即使再愚笨，經過多次思考，也會有一定的收穫。常用作計議後的自謙之詞。

近義： 一得之愚　　**反義：** 千慮一失

78. 千秋萬歲

典故： 戰國時，楚王同他的寵臣安陵君巡遊雲夢。正在前進的路上，突然有一隻兕迎面而來，楚王彎弓搭箭，一箭就把牠射死了。楚王高興得仰天大笑說：「今天的巡遊真是太快樂了！等到千秋萬歲之後，又有誰來和我一起快樂呢？」安陵君聽了，連忙上前跪稟道：「大王千秋萬歲之後，我也一起到黃泉去陪伴大王，為大王驅趕螻蟻。」楚王聽了，非常開心。

出處： 見《戰國策·楚策一》

釋義： 君主死去的諱辭，也用來祝人長壽，或形容年代久遠。

近義： 百年歸老

79. 千岩萬壑

典故： 晉代有個著名畫家叫顧愷之。有一次，顧愷之到會稽去，回來時有人問他會稽的山水風光如何，他說：「千岩競秀，萬壑爭流；草木蒙朧其上，若雲興霞蔚。」意思是說，千百座陡峭的山峰競相比美，萬千條小溪在山谷間爭相奔流；茂密的草木覆蓋在山川之上，遠遠望去，好像白雲蒸騰，彩霞繽紛。後人把「千岩競秀，萬壑爭流」縮成「千岩萬壑」這個詞語。

出處： 見《世說新語》

釋義： 形容重山疊嶺，蜿蜒逶迤。岩，岩石突起而形成的山峰；壑，山溝。

近義： 重巒疊嶂

80. 千呼萬喚

典故： 唐代詩人白居易，寫了一首長詩，題為《琵琶行》。詩中寫他被貶官期間，在潯陽江的船上聽一位女子彈奏琵琶、訴說身世的情景。詩的開頭，寫詩人與琵琶女萍水相逢，請她相見彈奏；琵琶女「千呼萬喚始出來，猶抱琵琶半遮面」。

出處： 見《白氏長慶集》

釋義： 比喻再三催促。

近義： 三請五請　　　**反義：** 自告奮勇

81. 千山萬水

典故： 三國時，劉備暫居荊州，而想奪取益州作為發展基地。剛好益州使者張松前來，劉備著意優禮相待。張松認為劉備是一個有仁義的人，便表示自己願為內應。劉備擔心蜀道崎嶇，千山萬水，交通困難，向張松請問有甚麼辦法；張松便把一張地圖獻給劉備說：您仔細看看這幅地圖，便可知道蜀中的道路怎樣走了。

出處： 見《三國演義》第六十四回

釋義： 形容路程險阻而遙遠。

近義： 千岩萬壑　　　**反義：** 近在咫尺

82. 寸草春暉

典故： 唐代詩人孟效寫了一首詩，題為《遊子吟》。詩中這樣寫道：「慈母手中線，遊子身上衣。臨行密密縫，意恐遲遲歸。誰言寸草心，報得三春暉。」意思是說，慈母手中的針線，就是我這個遊子身上的衣服；當我將要出遠門的時候，老人家一針一線地細縫起來，而心中只是擔心我不能早些回家；有誰敢說子女像小草那樣微弱的孝心，能報答得了慈母像春日陽光那樣的恩情呢？

出處： 見《唐詩三百首》

釋義： 子女的孝心像小草，父母的恩情像春天的陽光。比喻子女無論怎樣孝順父母，也難以完全報答父母的恩情。

近義： 劬勞難報

83. 寸陰是惜

典故：相傳遠古時，洪水泛濫成災。<u>夏禹</u>奉命治水，經過整整的十三年，才把水患治好。在這十三年中，因為工作關係，<u>夏禹</u>曾經三次回到故鄉<u>安邑</u>（在今<u>山西省</u><u>運城縣</u>），經過自己的家門口，還聽到孩子正在哇哇地哭，可因為工程緊急，他都沒有到家裏去看看。他說：「時間是很寶貴的。即使是短短的一寸光陰，也必須愛惜。」

出處：見《晉書·陶侃傳》

釋義：形容時間寶貴，必須好好珍惜，善加利用。

近義：愛惜分陰　　**反義：**光陰虛擲

84. 亡斧之人

典故：從前，有個人丟失了一把斧頭，他懷疑是鄰居的孩子偷的。因此，這人感到鄰居孩子走路的姿態像是偷了斧頭的，臉上的表情像是偷了斧頭的，說話的聲音也像是偷了斧頭的。沒過多久，這個人在山谷裏找到了丟失的斧頭，原來是他上山砍柴時忘記帶回家。這時，他碰見鄰居的孩子，再仔細打量一番，感到他走路的姿態、臉上的表情，說話的聲音，等等，沒有一樣像是偷斧頭的人。

出處：見《列子·説符》

釋義：比喻看問題沒有事實根據，純任主觀臆斷，十分片面。

近義：疑神疑鬼　　**反義：**鑿鑿有據

85. 亡羊補牢

典故： 古時候，有個人養了幾隻羊。一天早上，他去放羊，發現少了一隻。原來羊圈穿了一個洞，夜裏狼鑽進來，把羊叼走了。鄰居勸他修補羊圈。但他認為，羊已經丟失了，再修羊圈沒甚麼用。第二天早上，他去放羊，發現又少了一隻。原來，狼又從洞裏鑽進來，把羊叼走了。他十分後悔沒有聽從那位鄰居的勸告，覺得現在再修也還不晚。於是，他很快地堵塞了那個洞，把羊圈修好加固。從此，他的羊再也沒有丟失過。

出處： 見《戰國策·楚策四》

釋義： 發覺羊隻丟失了，便立即修補羊圈，這還不算晚。比喻出了差錯或受到損失，及時設法補救，以免再出事。亡，丟失；牢，圍著牛羊的欄柵。

近義： 知錯能改　　**反義：** 防患未然／未雨綢繆

86. 山高水長

典故： 宋朝時候，范仲淹為東漢隱士嚴光的祠堂作記。嚴光是漢光武帝的同學，德行高潔。漢光武帝授給他很高的官職，他不肯接受，歸隱於浙江富春山。范仲淹在所作的「祠堂記」中，讚美嚴光說：「先生之風，山高水長。」意思是說，嚴光的風範與德性，就像山一般高，水一般長。

出處： 見范仲淹《嚴先生祠堂記》

釋義： 讚美名人的德行高潔，影響後世非常深遠。

近義： 德高望重

87. 山明水秀

典故：北宋的詞人黃庭堅，寫了一首詞，題為《驀山溪·贈衡陽妓陳湘》。詞中極力稱讚陳湘這個女孩子生得很漂亮，其中有這樣的句子：「眉黛斂秋波，盡湖南、山明水秀」。在這裏，「山明水秀」與「眉黛」、「秋波」相應，形容陳湘的眉毛有如青山那樣明朗，眼神恰似秋水那樣清澈。

出處：見《山谷趣琴外篇》

釋義：山色明朗，水流清澈。形容山水風光十分優美。

近義：山青水秀／綠水青山　　**反義：**窮山惡水

88. 山珍海味

典故：古典小說《紅樓夢》有這樣一個情節：有一個鄉下的老大娘，叫做劉姥姥，她到榮國府來，府中的姑娘們都挺喜歡她。劉姥姥請她們到家中作客說：「家裏今年多打了兩石糧食，瓜果蔬菜也豐盛。這是頭一起摘下來的，並沒敢賣呢，留的尖兒（上好的）孝敬姑奶奶姑娘們嚐嚐。姑娘們天天山珍海味也吃膩了，這個吃個野意兒，也算是我們的窮心。」

出處：見《紅樓夢》第三十九回

釋義：山間和海中出產的珍奇食品。泛指各種珍貴的菜餚。

近義：瓊漿玉液　　**反義：**粗茶淡飯

89. 川流不息

典故： 儒家有一部經典，名叫《論語》，是孔子的學生記述孔子言行的書。其中有這樣一句話：「子在川上，曰：逝者如斯夫，不舍晝夜。」意思是：孔子站在河邊，說：時光就像河水那樣，不分晝夜地流逝啊！

出處： 見《論語・子罕》

釋義： 原比喻時光的流逝，現在多用來比喻行人、車馬、船隻等來來往往，接連不斷。川，河流；息，停止。

近義： 車水馬龍／絡繹不絕　　**反義：** 一潭死水

90. 口蜜腹劍

典故： 唐玄宗時，宰相李林甫，能書善畫，頗有才藝，但心地狠毒，品德不好。凡是才能比他強、聲望比他高的人，他都非常嫉妒，設法加以陷害。他和人交往時，表面上總是裝得忠厚和善，甜言蜜語，但實際上卻滿肚子的奸計。別人有事求他，他總是滿口答應，毫不推辭，可是背後不但不辦，反而暗中破壞。久而久之，李林甫的為人，漸漸被識破，當時的人，都說他「口有蜜，腹有劍」。

出處： 見《資治通鑑・唐紀》

釋義： 話甜如蜜，心狠如劍。形容陰險狡詐，在言語上對人討好奉承，心中卻想著如何陷害別人。

近義： 笑裏藏刀／口是心非　　**反義：** 表裏如一／心口如一

91. 口是心非

典故： 晉代有一個道士叫葛洪，寫了一部名為《抱樸子》的書，
闡述有關道教理論。書中指出有這樣一種人：「口是心
非，背向異辭。」意思是說，口中所說和心裏所想的，並
不一致，當面和背後的言辭，完全兩樣。

出處： 見《抱樸子‧微旨》

釋義： 嘴裏說的是一套，心裏想的又是一套。形容心與口不一
致。

近義： 口蜜腹劍/言不由衷   **反義：** 心口如一/言行一致

92. 口碑載道

典故： 宋朝時候，有一個僧人，名叫普濟，他寫了一本《五燈會
元》的書，輯彙佛教各派高僧關於佛教教義的論證和故
事，其中有這樣的一句話：勸你不必將好事刻在石頭上，
路上行人的嘴巴就像石碑一樣，他們自然會作出公正的評
論。

出處： 見《五燈會元》卷十七

釋義： 滿路都是稱頌的聲音。形容人或事物受到廣泛的稱讚。
碑，刻有文字的石塊；載，充滿；道，道路。

近義： 有口皆碑   **反義：** 怨聲載道

93. 口若懸河

典故： 晉代有一個學者，名叫郭象，喜歡清談玄理。他學識淵
博，分析力強，與人談論起來，有條有理，頭頭是道。當
時的人都稱讚他口才好，會說話。太尉王衍經常與郭象高
談闊論，每每當著同袍稱讚說：「聽郭象談話，好像是一
條懸掛著的大河，河水不斷奔流而下，永不枯竭。」

出處： 見《晉書·郭象傳》

釋義： 形容口才很好，說話滔滔不絕，像河水傾注下來一樣。

近義： 滔滔不絕／懸河瀉水　　**反義：** 張口結舌／結結巴巴

94. 上行下效

典故： 儒家有一部經典，名叫《大學》。書中有這樣的話：在上
者能奉侍長老，老百姓就會孝順父母；在上者能敬重年紀
比自己大的同輩，老百姓就會尊敬兄長；在上者能撫恤孤
寡，老百姓就會富同情心。後來，宋代的學者朱熹解釋
說：「這三件大事，是指上行下效，影響很快。」

出處： 見《四書集注》

釋義： 在上者怎樣做，在下者就跟著學樣。行，做；效，效法、
模仿。

近義： 上好下甚

95. 上下其手

典故： 春秋時代，有一次，楚國和鄭國交戰，楚軍打敗鄭軍，楚國邊境上的一個名叫穿封戌的縣官，活捉了鄭國的大將皇頡。可是楚君的弟弟王子圍為了爭功，硬說皇頡是他捉住的。兩人爭持不下，便到大臣伯州犁那裏去評理。伯州犁要求問俘虜。當俘虜帶到時，伯州犁高高舉起一隻手指著王子圍暗示皇頡說：「這是我國國君的愛弟王子圍」；然後又放下手來指著穿封戌說：「他是我國邊境的一個縣令。你說，到底是誰捉住你的？」皇頡明白伯州犁巴結王子圍的意圖，為了活命，就撒謊說：「我是被王子圍捉住的。」

出處： 見《左傳・襄公二十六年》

釋義： 指某些人互相勾結，製造混亂，通同作弊。

近義： 混淆黑白／顛倒是非

96 下筆成文

典故： 三國時代，曹操的兒子曹植聰明好學，寫起文章來又快又好。有一次，曹操看了曹植的文章，十分驚喜，故意問他：「你請人代寫的吧？」曹植答：「我一開口說話，就能說出一番道理；一動起筆來，就能寫成文章。我可以當面嘗試，又何必請人代寫呢？」於是曹植即時寫了一篇著名的《銅雀臺賦》，而且寫得很好。

出處： 見《三國志・魏書・陳思王植傳》

釋義： 形容文章寫得很快，一動起筆來，就能寫成。

近義： 一揮而就　　**反義：** 搜索枯腸

97. 下不為例

典故： 清代的文學家陳森，寫了一部反映梨園生活的小說，名叫
《品花寶鑑》，主人公為男伶杜琴言。杜琴言本來不會喝
酒，但在一次宴席上，他被纏得無法，推辭不了，只好說
道：「我喝一口，下不為例。」

出處： 見《品花寶鑑》第三十六回

釋義： 只能通融這一次，下次不能再引以為例。下，下一次；
例，先例。

反義： 接二連三／無休無止

98. 小時了了

典故： 漢末三國之際，有一個叫孔融的，自小就很聰明。孔融十
歲時去拜見當時的名人李膺，應對得體。李膺和賓客都因
孔融小小年紀便這麼聰明而感到驚訝，但座中有一個叫陳
韙的客人卻說：「年幼時就很聰明的人，長大了未必有出
息。」當時孔融就立即對他說：「我想前輩年少時必定很
聰明的。」弄得陳韙十分尷尬。

出處： 見《世說新語‧言語》

釋義： 年幼時雖然很聰明，長大後卻不一定有才幹。

近義： 少年得志　　**反義：** 大器晚成

99. 大器晚成

典故： 三國時，崔琰很有才學，他的堂弟崔琳年輕時卻既無成
就，也無名望，親戚朋友們都看不起他，但崔琰卻十分器
重他，並常常安慰他說：「一個有本領的人，必須經過一
番磨煉，到晚年才會有成就。」後來，崔琳果然出人頭
地，在魏國做了大官。

出處： 見《三國志・魏書・崔琰傳》

釋義： 形容有大才的人成名往往較晚。大器，比喻有才幹的人。

反義： 少年得志／小時了了

100. 大智若愚

典故： 北宋名臣、文壇領袖歐陽修，學識淵博，文章、詩詞都寫
得很好，並善於獎掖新進，卻從來不會在他人面前自誇。
歐陽修在六十五歲告老回鄉時，後學蘇軾特別寫了一篇文
章祝賀他，其中一句稱讚他的話語便是：「本身極有智
慧，看來卻好像很愚笨。」

出處： 見《東坡七集》

釋義： 形容人雖然極為聰明，卻從不炫耀自己，所以在外表上看
來就好像很愚笨似的。

近義： 大巧若拙／藏愚守拙　　**反義：** 露才揚己

101. 大煞風景

典故： 唐朝詩人李商隱曾列舉六種情況，作為大煞風景的例子：
一、在清澈的泉水中洗腳；二、在美麗的花朵上曬衣服；
三、背著山建樓房，欣賞不到山色；四、拆琴當作木柴來
燒，宰鶴烹煮作為食物；五、賞花時只有茶沒有酒；六、
在清幽雅靜的松林下乘涼，忽遇官員的隨從呼喝開道。

出處： 見李商穩《雜纂》

釋義： 比喻本該令人高興的美好事物或環境，意外地遭到破壞，
使人掃興。煞，削弱、損傷。

反義： 錦上添花

102. 大腹便便

典故： 東漢時候，有一個學者，名叫邊韶，字孝先。邊孝先身體
胖胖的，肚子大大的，成天懶洋洋，白日也在睡大覺。他
當教書先生，學生對他有意見，有人便編了一首歌謠來譏
諷他：「邊孝先，腹便便；懶讀書，但欲眠。」歌謠傳到
邊孝先耳中，他也編了一首順口溜來回敬學生：「……腹
便便，五經笥；但欲眠，思經事。」表明他肚子大是因為
裝滿著書，愛睡覺是利用睡覺的時候思考經書上的內容。

出處： 見《後漢書·邊韶傳》

釋義： 形容體態肥胖、肚子很大的樣子，含有嘲笑的意味。腹，
肚子；便便，肥大的樣子。

反義： 骨瘦如柴

103. 大義滅親

典故：春秋時代，衛國有個大臣名叫石蠟，他的兒子石厚，是衛國公子州吁的親信。州吁殺害他的哥哥衛桓公，自己做了國君，石厚幫他出謀劃策。後來，石蠟設計殺死了州吁。衛國的大臣認為：石厚是石蠟的兒子，應該從寬處理。但石蠟認為，州吁所做的壞事，大多是石厚主謀，不懲辦石厚是不公平的，因此派人把石厚殺死。歷史學家稱讚石蠟這種做法是「大義滅親」。

出處：見《左傳・隱公四年》

釋義：為了維護正義，不徇私情，使犯罪的親屬受到應有的懲罰。

近義：執法無私　　**反義**：徇情枉法

104. 大吹大擂

典故：古典小說《水滸傳》裏有這樣一個情節：晁蓋、吳用等幾個好漢，在「智取生辰綱」後，為了避開官府的追捕，便投奔梁山泊入伙。當他們上得山來時，山寨頭領王倫帶著眾頭目出關迎接；入寨後，山寨裏宰了兩頭黃牛、十隻羊和五頭豬，大吹大擂，擺開宴席，以表示歡迎。

出處：見《水滸傳》第十九回

釋義：原指用勁吹奏或敲擊樂器，以示慶賀；後多用來比喻自我吹噓，炫耀自己。吹，指吹奏笙笛喇叭等樂器；擂，指敲鑼打鼓。

近義：自吹自擂　　**反義**：不矜不伐

105. 大刀闊斧

典故：《水滸傳》裏描述了這樣一個情景：晁蓋等梁山好漢劫法
場救出宋江後，在白龍廟聚會；江州城的官兵出城追趕，
大刀闊斧，耀武揚威，殺奔白龍廟路上來；梁山好漢乾脆
一不做，二不休，出廟迎戰，把那官軍殺得屍橫遍野，血
流成河，殘兵敗將逃入城中，緊閉城門，好幾天不敢出
來。

出處：見《水滸傳》第四十回

釋義：使用大刀和寬刃斧頭這兩種武器；比喻辦事果斷而有魄
力，也形容對文章大刪大改。

近義：雷厲風行　　**反義：**小手小腳／謹小慎微

106. 大相徑庭

典故：春秋戰國時，楚國有個狂士，名叫接輿，他向肩吾講了
這樣一個故事：在遙遠的北海中，有一座名叫姑射的仙
山，山上住著一群仙女，她們容貌漂亮，肌膚雪白，騰雲
駕霧，巡遊四海。當他們精神專一時，就能使人間萬物欣
欣向榮，五穀豐登。肩吾聽了，很不理解，就去對連叔
說，我聽接輿講了一個故事，真是「大有徑庭，不近人
情」。連叔認為，這是因為肩吾智力所限，不懂得接輿所
說的是高妙的道理。

出處：見《莊子·逍遙遊》

釋義：形容彼此意見大不相同，或雙方矛盾極大。徑，門外小
路；庭，廳堂前的院子。

近義：天壤之別／截然不同　　**反義：**如出一轍／大同小異

107. 大公無私

典故： 春秋時代，晉國有一個叫做祁黃羊的大臣。有一次，晉平公要他推薦一個縣令，祈黃羊說：「解狐合適。」晉平公驚奇地問：「解狐不是你的仇人嗎？你為甚麼要推薦他？」祈黃羊回答道：「大王問的是誰能擔任縣令，不是問誰是我的仇人。」又有一次，晉平公要他推薦一個法官，祈黃羊說：「祁午合適」。晉平公又覺得奇怪，說：「祁午不是你的兒子嗎？」祈黃羊回答道：「大王問的是誰能擔任法官，並沒有問誰我的兒子。」孔子聽到這兩件事，稱讚道：「祈黃羊做得好呀！他推薦人才對外不排斥仇人，對內不迴避親人，真是大公無私！」

出處： 見《呂氏春秋·去私》

釋義： 公平正直，沒有私心。

近義： 鐵面無私　　**反義：** 假公濟私

108. 大逆不道

典故： 楚、漢相爭時，有一個階段，雙方爭持不下，於是分別在一條河流的兩岸建造城堡，楚城在東，漢城在西，兩城之間，可以對話。一次，項羽要與劉邦單獨交鋒，比個高低。在交戰前，劉邦列舉了項羽的十大罪狀，說他是個「大逆無道」的人，為天下所不容。項羽聽了，怒不可遏，彎弓搭箭，一箭射中劉邦的胸膛。劉邦差點喪命，只好去養傷。

出處： 見《史記·高祖本紀》

釋義： 嚴重違背道義的意思。原指犯上作亂的言行，現在多指罪惡深重的行為。逆，叛逆；道，指道德標準。

近義： 離經叛道　　**反義：** 循規蹈矩

【四畫】

109. 五穀不分

典故： <u>孔子</u>晚年的時候，帶著<u>子路</u>等幾個學生，周遊列國，到處奔波，迷過路，斷過糧，甚至差點被害。一天，一行人穿林越嶺，走著走著，<u>子路</u>跟在後面，不期然掉了隊。這時天色快黑下來了，恰巧遇見一位老農正在田裏鋤草，<u>子路</u>便問有沒有看見他的老師。老農冷冷答道「四體不勤，五穀不分」，哪裏配稱甚麼老師。說這話的老農，可能是一個隱士。

出處： 見《論語‧微子》

釋義： 分辨不清各種穀物。用來形容沒有農業生產知識，常與「四體不勤」連用，帶有譏誚的意思。五穀，泛指各種糧食作物。

近義： 不事稼穡

110. 五光十色

典故： <u>南北朝</u>時，<u>南朝</u>的<u>江淹</u>很會寫文章，其中有一篇叫《麗色賦》的，這樣寫道：有一個漂亮的女子，亭亭玉立。初初見到她時，就像一朵粉紅色的蓮花立在荷池中，美貌天然；再一看，又像彩雲飄出山崖，五光徘徊，十色陸離。

出處： 見<u>江淹</u>《麗色賦》

釋義： 形容顏色鮮艷，光彩照人。

近義： 五彩繽紛／五顏六色

111. 六神無主

典故： 古典小説《官場現形記》中説，有一家姓趙的，祖上世代務農，到了趙溫這一代，情況才發生變化。趙溫先是中了秀才，後來參加鄉試，又中了舉人。趙家上下，皆大歡喜，成日宴請親朋鄉鄰，拜祭祖宗，忙了個筋疲力盡。趙溫到省城前一天，他的祖父、父親一天忙到晚，更不曾睡覺，替他打點一切，累得六神無主。

出處： 見《官場現形記》第二回

釋義： 形容心慌意亂，不知如何是好。

近義： 六神不安/驚慌失措　　**反義：** 鎮定自若

112. 天上人間

典故： 北宋初年，消滅了江南的南唐政權。南唐後主李煜投降，被俘到宋都汴京，受了一個難堪的封號，叫「違命侯」。李煜是一個詞人，寫了許多思念故國、懷想后妃宮娥的詞，淒婉感人。其中有一首叫《浪淘沙》的，結尾兩句寫道：「流水落花春去也，天上人間。」用「天上人間」來對比過去的帝王享受與眼前的幽禁生涯，歎惜水流花落，春去人逝，預示自己的一生即將結束。

出處： 見《南唐二主詞》

釋義： 形容差別非常大。

近義： 天壤之別　　**反義：** 分毫不差

113. 天下無敵

典故： <u>孟子</u>是戰國時代的儒家大師，主張以仁義治天下。一次，有人問<u>孟子</u>：「怎樣才能做到天下無敵呢？」<u>孟子</u>回答說：「國君必須施行仁政。<u>孔子</u>說過，仁德的力量，是不能拿人的多少來計算的。如果君主愛好仁德，則天下無敵。歷史上有<u>文王</u>施行仁政，百姓擁，國家強盛，正所謂仁者無敵。」

出處： 見《孟子‧離婁上》

釋義： 天下沒有對手。形容戰無不勝，誰也不能抵擋。

近義： 舉世無匹／天下無雙　　**反義：** 棋逢敵手／勢均力敵

114. 天下無雙

典故： <u>東漢</u>時候，有個叫<u>黃香</u>的人，家住<u>湖北 江夏</u>。<u>黃香</u>自幼喪母，與父親相依為命，過著清苦的日子。他從小喜歡讀書，學識豐富，又極孝順。為了讓父親睡得舒服些，在炎熱的夏天，他先用扇把床搧涼；在寒冷的冬天，他先鑽進被窩裏，把被子溫熱，再請父親睡下。當時，人們極為稱讚<u>黃香</u>，說他是「天下無雙」。

出處： 見《後漢書‧文苑列傳》

釋義： 形容特別出眾。無雙，沒有第二個。

近義： 獨一無二／舉世無匹　　**反義：** 俯拾即是／無獨有偶

115. 天衣無縫

典故：古時候，一個夏天的晚上，有個叫郭翰的人，在樹下乘涼，忽然從天空中飄來一位漂亮的女子；女子告訴郭翰，她是天上的織女，來到人間游玩。郭翰驚喜地看著織女，發現她的衣服不但很美麗，而且沒有縫紉的痕跡，織女笑著說：「這是天衣，天衣本來就不需要用剪刀、針線裁剪縫合，所以它是無縫的」。

出處：見牛嶠《靈怪錄》

釋義：比喻事情做得十分完美自然，沒有一點破綻或缺漏。

近義：完美無缺/無懈可擊　　**反義**：破綻百出

116. 天花亂墜

典故：傳說南朝梁武帝的時候，有個名叫雲光的法師天天講經，遠近聞名，聽眾無數。由於他講經講得太好，連天上的花神也被感動，於是花神便把鮮花從天上撒下來，一時滿天飛花，飄墜落地，五光十色，耀眼奪目。後來人們把這個傳說概括為「天花亂墜」。

出處：見釋慧皎《高僧傳》

釋義：原是比喻說話有聲有色，非常動聽。現多用來形容說話浮誇，不切實際。

近義：花言巧語/巧言令色　　**反義**：實話實說/樸實無華

117. 天羅地網

典故： 古典小說《水滸傳》裏有這樣一個情節：高俅本是一個游
手好閒，因踢得一腳好球，深受皇太子寵愛。後來，太子
當了皇帝，他就是宋徽宗；徽宗提拔高俅做大官。就職之
日，高俅借故將禁軍教頭王進抓起來，幸好王進部下求
情，才獲得釋放。王進明白父親王升曾與高俅有過即，現
在高俅得志，必定報仇，便與母親商定逃往延安府。一路
隱藏行蹤，歷經千辛萬苦，有一天來到了延安府地界，王
進欣喜地說：「終於逃脫天羅地網，高俅想捉我也捉不到
了。」

出處： 見《水滸傳》第二回

釋義： 比喻包圍嚴密，難以逃脫。天羅，捕鳥用的網；地網，捕
獸用的網。

近義： 圍追堵截　　**反義：** 疏於防範

118. 天之驕子

典故： 南宋時候，漠北的蒙古族出了一個傑出的首領，名叫鐵木
真。鐵木真非常英武，他建立了一支驍勇善戰的軍隊，經
過十多年的征戰，統一了大漠南北，並用蒙古族的名義統
稱這片土地和子民。他還率領蒙古大軍西征，席捲中亞和
東歐，聲威大震。鐵木真受到蒙古族各部的擁戴，被尊稱
為「成吉思汗」，有「天之驕子」的美譽。

出處： 見《元史》

釋義： 上天驕寵的兒子。指一個人或一個團體仗著有利條件，正
是得勢、強盛的時候。

近義： 一代天驕

119. 日薄西山

典故： 西晉初年，有一個名叫李密的人，被徵召入朝做官。李密
自幼沒有父母，由祖母辛苦撫養成人，祖孫兩人相依為
命。他不敢不遵從朝廷的命令，但又不願離開年老多病的
祖母，於是寫了一篇上晉武帝的《陳情表》，言辭懇切，
敘述自己的身世，談到祖母年老體衰，只剩下一絲氣息，
有如日薄西山，時間無多了，需要他留下照顧。晉武帝看
後，深為李密的孝心所感動，就答應了他的要求。

出處： 見《昭明文選》

釋義： 太陽接近西山，即將下落。比喻年老體衰，接近死亡；也
可以形容腐朽的事物將要滅亡。薄，逼近。

近義： 夕陽殘照／行將就木　　**反義：** 如日東升

120. 日月如梭

典故： 元朝末年，戲曲家高則誠寫了一部劇本，題為《琵琶記》，
寫蔡伯喈與趙五娘夫妻悲歡離合、最後獲得團圓的故事。
其中，「生相（丞相）教女」一齣有這樣兩句台詞：「光
陰似箭催人老，日月如梭趲少年。」

出處： 見高則誠《琵琶記》

釋義： 比喻時間過得很快。梭，織布時用來牽引橫線的器具。

近義： 光陰似箭／兔走鳥飛　　**反義：** 度日如年

121. 井底之蛙

典故： 有一天，一隻來自<u>東海</u>的大鱉，走到一個井邊，井底下住著一隻青蛙，它看見大鱉在井口，便誇耀道：「喂，你從哪裏來？瞧我這裏多好、多寬敞，我可以自由跳躍、游泳、散步，我身邊的小蝌蚪、小螃蟹們誰也不及我，你想不想下來參觀我這坑清水？」海鱉聽了，笑著說：「朋友，你這口井是無法與大海相比的，大海無邊無際，深達萬丈。住在大海裏才真正快樂啊！」青蛙聽了，慚愧地低下了頭。

出處： 見《莊子‧秋水篇》

釋義： 井底的青蛙。比喻眼界狹隘、見識短淺的人。

近義： 孤陋寡聞　　**反義：** 見多識廣

122. 水滴石穿

典故： 從前，有一個縣官，看見一個管理錢庫的庫吏在下班回家的路上，神色慌張，細加盤查，發現他頭巾下藏著一枚錢幣。縣官認為這是監守自盜，把他帶回縣衙，第二天便升堂審問，要施以杖罰。庫吏不服氣，還振振有詞地說：「偷一枚錢算得了甚麼？為這點小事就要打我嗎？」縣官見庫吏態度那麼不好，不禁大怒，便拿起筆在案上批道：「一日一錢，千日千錢，繩鋸木斷，水滴石穿。」並立即施刑。

出處： 見《鶴林玉露》

釋義： 水不斷滴下來，能把石頭穿成洞。原指小錯不改會發展成大錯；後多用來比喻儘管力量微小，只要堅持不懈，就能克服困難，取得成功。

近義： 繩鋸木斷

123. 水深火熱

典故： 戰國時代，齊國想吞併燕國，於是齊宣王向孟子徵求意見。孟子說：如果燕國的老百姓歡迎，那就吞併它；如果燕國老百姓不高興，那就不要吞併它。作為一國之主，能讓他的百姓過上好日子，大家就會擁戴他；反之，人們就會逃避他的統治。所以你想吞併燕國，先要想清楚兩個問題：燕王統治下的百姓是不是生活在水深火熱之中？倘若你佔領燕國，能不能把百姓從水深火熱中解救出來？

出處： 見《孟子·梁惠王下》

釋義： 處境艱難，好像置身於深水裏和烈火中一樣。比喻生活極端痛苦。

近義： 暗無天日/民不聊生　　**反義：** 安居樂業

124. 水落石出

典故： 從前有一戶人家，兄弟幾個都流浪在外，衣服破了，無人縫補。有一次他們住在旅店裏，店中的女主人看見他們可憐，產生憐憫之心，便替他們縫補。恰巧這個時候，女主人的丈夫從外邊回來了，見此情景，疑心她與這幾個流浪漢有不正當的關係，女主人見丈夫表情異常，一下猜中他的心事，便對丈夫說：「不要斜著眼睛看我，不要猜疑，事情的真相，終會明白的。」

出處： 見《樂府詩集·古艷歌行》

釋義： 水退去了，水中的石頭就會露出來。比喻事情的真相終會明白。

近義： 水清石見/真相大白　　**反義：** 石沉大海

125. 水火不容

典故： 三國時代，蜀國的大將魏延，性情十分高傲，同僚們都對他退讓三分，只有楊儀不肯遷就他，經常和他爭執。魏延因此懷恨楊儀，兩人的關係十分緊張，好像水火那樣，不能相容。後來，魏延發動兵變，而平定變亂、誅滅魏延的，正是楊儀。

出處： 見《三國志·蜀書·魏延傳》

釋義： 水和火不相容。比喻雙方根本對立。

近義： 冰炭異爐　　**反義：** 水乳交融

126. 不脛而走

典故： 漢末三國之際，孔融的好朋友盛孝章住在江東。當時，江東的孫策對有名望的人都很妒忌，常常借故殺害賢才。孔融擔心盛孝章的安危，便寫信請曹操招納盛孝章。孔融在信中勸曹操求賢尊賢，說只要做到這一點，賢人就會自己來投效，這就好像珠玉本來沒有腿，因為有人愛好它，它便落到愛好它的人手中。

出處： 見《昭明文選·孔文舉〈論盛孝章書〉》

釋義： 沒有腿也能跑，比喻事物或消息不待推廣，就迅速地傳播。脛，小腿；走，跑。

近義： 不翼而飛　　**反義：** 石沉大海

127. 不翼而飛

典故：戰國時代，秦國大將王稽帶兵攻打趙國，好久都攻不下。有個名叫莊的人對王稽說：「你為甚麼不獎賞士兵，鼓舞士氣呢？」王稽答：「我只知執行命令，其他人的事，我都不管！」莊勸道：「你這樣專橫，部下都早已對你不滿了，我曾聽說：士兵要求改變不合理現狀的呼聲，不用翅膀也會很快飛到各處去。」王稽不聽，結果士兵嘩變，王稽則被秦王處死。

出處：見《戰國策・秦策三》

釋義：沒有翅膀也能飛。比喻話語或消息不必推廣也流傳得極快；或比喻東西無緣無故地突然不見了。

近義：不脛而走　　**反義：**原封不動

128. 不識時務

典故：東漢時候，有一個人叫張霸，自小好學不倦，後來他在地方任官，當地的讀書人都因他的教化而努力起來，所以頗有名氣。當時的皇后鄧氏權力極大，聽聞張霸的事跡後，便想跟他結交，可是張霸一直不予回覆。有人認為張霸這樣做是不認識當時的潮流和形勢，不知好歹。

出處：見《後漢書・張霸傳》

釋義：不認識時代的潮流和當前形勢，有時也指不知趣。

近義：不合時宜　　**反義：**隨機應變／審時度勢

129. 不倫不類

典故：古典小說《紅樓夢》裏有這樣一個情節：<u>王夫人</u>是<u>賈政</u>的正室；<u>賈政</u>還有一個妾侍，稱為<u>趙姨娘</u>。一次，<u>趙姨娘</u>想藉一件小事來討好一下王夫人，王夫人看出她的來意，見她說的不倫不類，十分不耐煩，但又不便不理她，只好隨便敷衍兩句。趙姨娘興衝衝而來，誰知討個沒趣，心中很不高興，但又不敢流露出來，只好訕訕地走開了。

出處：見《紅樓夢》第六十七回

釋義：既不像這一類，也不像那一類。形容不像樣，不合規格。倫，類。

近義：不三不四／非驢非馬

130. 不三不四

典故：古典小說《水滸傳》裏有這樣一個故事：<u>魯智深</u>在上梁山之前，曾在一個寺院裏幫助看菜園。菜園附近住著二三十個無賴潑皮，平日經常偷園內的蔬果；他們欺侮<u>魯智深</u>新來乍到，便想把他制服，以便日後自由出入菜園。眾潑皮定下計策，引誘<u>魯智深</u>到一個糞窖邊，準備把他掀入窖中，耍弄他一下，但<u>魯智深</u>是個粗中有細的人，他看出這伙人不三不四，心中早有警惕；當為首的<u>張三</u>、<u>李四</u>動手時，<u>魯智深</u>在一腳右一腳便把兩人踢下糞窖去，嚇得其他人目瞪口呆。

出處：見《水滸傳》第七回

釋義：不像這個，也不像那個。形容不像樣子；也形容不正經，不正派。

近義：不倫不類／非驢非馬

131. 不可勝數

典故： 西漢時候，淮南王劉安想起兵造反，與他的屬下伍被商
量。伍被是一個很有見識的人，他分析當時的形勢說：秦
始皇修築萬里長城，軍隊和民伕死者不可勝數，老百姓都
想起來造反；漢高祖之所以能得天下，正是因為秦的統治
太殘暴，老百姓不得溫飽；但時下漢室的統治還不是這種
情況，造反的時機還不成熟。淮南王雖然覺得伍被的話有
道理，但最終還是發起叛亂。

出處： 見《漢書·伍被傳》

釋義： 為數極多，數也數不清。勝，盡。

近義： 不計其數　　**反義：** 寥寥無幾

132. 不學無術

典故： 西漢時候，有個大臣名叫霍光，是漢武帝的外戚。漢武帝
死後，霍光相繼輔佐昭帝及宣帝，匡扶漢室，立下了不少
功勞。他死的時候，皇帝與皇太后親臨吊喪。後來，歷史
學家班固為霍光立傳，在評語中，一方面稱讚他對漢室的
功勞，另方面又指出他「不學亡術，暗於大理」，即批評
他不肯學習，缺少知識，對一些大是大非的問題缺乏分析
能力。

出處： 見《漢書·霍光傳》

釋義： 沒有學習，沒有本領。

近義： 胸無點墨／才疏學淺　　**反義：** 博學多才／多才多藝

133. **不堪回首**

典故： 南唐後主李煜歸降北宋後，寫了許多思念故國的詞。其中
有一首題為《虞美人》的，這樣寫道：「春花秋月何時了？
往事知多少！小樓昨夜又東風，故國不堪回首月明中。
雕欄玉砌應猶在，只是朱顏改。問君能有幾多愁？恰似一
江春水向東流。」詞人寫他不忍再回憶過去的帝王生活，
但又不能不去回憶；而一憶起「往事」，愁思就有如一江
春水向東奔流，日夜不息。

出處： 參見「112・天上人間」／《南唐二主詞》

釋義： 不忍回顧或回憶。不堪，不忍；回首，回頭。

近義： 往事堪嗟　　**反義：** 回味無窮

134. **不越雷池**

典故： 東晉時候，鎮守歷陽（在今安微省境內）的將領蘇峻起兵
造反，進攻京都建康（今江蘇 南京）。武昌鎮將溫嶠知道
這一消息後，準備帶兵東下，保衛京都。宰相庾亮寫信給
溫嶠，說自己對西邊防線的擔憂勝過歷陽，請他坐鎮武昌
原防，不要帶兵越過雷水一步。溫嶠接信後，明白庾亮對
全局有通盤的考慮和部署，便沒有帶兵離開武昌到建康救
援。

出處： 見庾亮《報溫嶠書》

釋義： 比喻不可超越一定的範圍或界限，常用作警告之語。雷
池，古代雷水的別稱。

近義： 劃地為牢　　**反義：** 敢作敢為

135. 不稂不莠

典故：古典小說《紅樓夢》裏有這樣一個情節：一天，賈寶玉的
祖母賈母與父親賈政談論起寶玉的婚事來，賈母要賈政物
色一個品德好、相貌好的女孩子為寶玉訂親，賈政說：女
孩子當然要好，但「第一要他（寶玉）自己學好才好，不
然不稂不莠的，反倒擔誤了人家的女孩兒，豈不可惜。」
賈母聽了，很不是味道；賈政知道賈母不高興，連忙改口
說好話，討老人家的歡心。

出處：見《紅樓夢》第八十四回

釋義：不像稂，不像莠，可也不是好禾苗，能不能有糧食收成，
值得懷疑。比喻沒出息、不成材的人。稂、莠，都是野
草，俗稱狼尾草、狗尾草。

近義：稂莠不齊　　**反義：**根正苗紅

136. 不知所云

典故：三國時代，諸葛亮準備出師伐魏。臨行前，他上了一份奏
表給後主劉禪，這就是千古傳誦的《前出師表》。這份奏
表，言辭懇切，最後一句是：「今當遠離，臨表涕泣，不
知所云。」意思是說：我現在就要遠離陛下到前線去了，
對著這份奏表，涕淚縱橫，不知道說了些甚麼。

出處：見《三國志・蜀書・諸葛亮傳》

釋義：不知道自己說的是些甚麼。原是自謙的話，後來轉為貶
義，指言語或文章紊亂、空泛。云，說。

近義：莫名其妙　　**反義：**言簡意賅

137. 不恥下問

典故： 孔子是中國古代偉大的思想家和教育家，他非常有學問，
卻認為自己並不是天生下來就有學問的，不懂的事，他總
是虛心向別人請教。那時，衛國有一個名叫孔圉的大臣，
死後被尊稱為孔文子。孔子的學生子貢曾問孔子：「孔文
子憑甚麼被稱為『文』呢？」孔子回答說：「孔圉聰敏而
且勤奮，不恥下問，所以用『文』來稱譽他。」

出處： 見《論語・公冶長》

釋義： 不認為向地位比自己低或學問比自己差的人請教是一件羞
恥的事。形容虛心向別人請教。

近義： 虛懷若谷　　**反義：** 好為人師

138. 不寒而慄

典故： 漢武帝時候，有個酷吏叫義縱，因平定定襄地區的民變有
功，升任定襄太守。他一上任，就下令處死獄中二百多個
犯人，這些人的家屬和朋友約二百餘人，前往監獄探望，
也被逮捕，以「為死罪解脫」罪名處死。這個消息傳出
後，定襄城裏，人人心驚膽戰，不寒而慄。

出處： 見《史記・酷吏列傳》

釋義： 不寒冷也發抖，形容非常害怕。慄：戰慄、戰抖。

同義： 毛骨悚然／如沐春風

139. **不屈不撓**

典故：西漢成帝時，有一年秋天，京都長安謠言四起，說大水要沖進城來。漢成帝的舅父、大將軍王鳳極力勸說皇帝躲到船上，大臣們多附和王鳳的意見，惟有宰相王商堅決反對。後來證實果真沒甚麼大水。又有一次，王鳳有個親戚叫楊肜，做官失職，有嚴重的過錯，王鳳為他開脫，加以包庇，王商卻堅持執法，罷了楊肜的官。後人因此稱讚王商誠實公正、不屈不撓。

出處：見《漢書・敍傳下》

釋義：形容在困難或惡勢力面前不屈服、不低頭，十分堅強。屈、撓，彎曲。

近義：百折不撓　　**反義：**一蹶不振

140. **不可救藥**

典故：周朝有一個官員名叫凡伯，為人剛正不阿。當時，周厲王昏庸暴虐，凡伯忠言勸諫，反被周厲王手下那幫助惡的奸臣諷刺譏虐。凡伯很氣憤，寫了一首題為《板》的詩，詩的大意是：我說真話豈是老糊塗，你們竟來戲笑我；多做惡事還要顯威風，不可救藥沒奈何。

出處：見《詩經・大雅》

釋義：比喻事情壞到無法挽救的地步。

近義：病入膏肓　　**反義：**起死回生

141. 不謀而合

典故： 秦朝滅亡時，項羽與劉邦爭奪天下。當初，項羽勢力較
強，封劉邦為漢王。劉邦不敢抗拒，到漢中就任，並採納
謀士張良的建議，燒燬從關中通往漢中的棧道，佯裝無意
復出，以迷惑項羽。同時，張良定下計策，日後可用奇襲
的辦法奪回關中。後來，劉邦派大將韓信，率軍進攻項
羽，韓信第一步便是用「明修棧道、暗渡陳倉」的策略，
回取關中；但韓信事前並不知道張良有此妙計，竟然不謀
而合，正所謂英雄所見略同。

出處： 見《史記・高祖本紀》

釋義： 沒有經過商量，而彼此的意見、想法或行動相一致。謀，
商量；合，一致、相同。

近義： 不約而同／所見略同　　**反義：** 南轅北轍／背道而馳

142. 不遺餘力

典故： 戰國時代，有一次秦國攻打趙國，趙國大敗，秦國也精疲
力盡。秦國為了保存力量，一面撤兵，一面派使者到趙
國，要趙國割地請和。趙王不知怎麼辦才好，大臣虞卿就
問趙王：「秦國退兵是為了保存實力不來進攻呢？還是已
打得精疲力盡才退兵呢？」趙王說：「秦國進攻我國，已
是不遺餘力。」虞卿說：「既然如此，我們就不該割地求
和，而應該聯合其他國來共同對付秦國。」

出處： 見《史記・平原君虞卿列傳》

釋義： 把全部的力量都用盡了，一點也不保留。遺，留下、保
留；餘力，剩餘的力量。

近義： 全力以赴　　**反義：** 游刃有餘

143. 不值一文

典故：西漢時候，有個大臣名叫<u>灌夫</u>，為人性情剛直，可是很愛
喝酒，常常喝得醉醺醺而大發脾氣。有一次，<u>灌夫</u>出席丞
相<u>田蚡</u>的宴會。酒宴之中，他已飲了很多酒，又要找同僚
<u>灌賢</u>乾杯，恰巧<u>灌賢</u>正湊近<u>程不識</u>的耳朵悄聲說話，沒注
意到<u>灌夫</u>找他。而這個<u>程不識</u>，雖然是一員大將，<u>灌夫</u>卻
一向瞧不起他，於是<u>灌夫</u>心裏非常不痛快，忍不住大罵<u>灌</u>
<u>賢</u>：「我平常說<u>程不識</u>不值一文錢，你今天卻和他學那女
人家的樣子，咬耳根子說悄悄話！」

出處：見《漢書・灌夫傳》

釋義：比喻沒甚麼價值，也表示輕蔑和鄙棄。一文，一錢。

近義：輕於鴻毛　　**反義**：價值連城

144. 不自量力

典故：<u>春秋</u>時代，有一次，<u>鄭國</u>和<u>息國</u>發生了爭執。<u>息國</u>的力量
遠不如<u>鄭國</u>，可是<u>息國</u>的國君卻不採取談判協商、解決爭
端的辦法，而貿然出兵，攻打<u>鄭國</u>。結果，被<u>鄭國</u>打得大
敗而回。當時，人們評價這件事，都說<u>息國</u>犯了五大錯
誤，其中一項就是高估了自己的力量。

出處：見《左傳・隱公十一年》

釋義：不能正確估計自己的力量，指過高估計自己的力量。量，
衡量、估計。

近義：蚍蜉撼樹／螳臂當車　　**反義**：量力而行

145. 方寸之地

典故：傳說古時候，有個醫師，名叫<u>文摯</u>。他的醫術十分高明，
眼睛能透光看清病人的內臟。有一次，有個叫<u>龍叔</u>的病人
對<u>文摯</u>說：「我生病了，你是名醫，不知能否治好我的
病？」<u>文摯</u>就叫<u>龍叔</u>背對著光站好，自己迎光立於<u>龍叔</u>身
前，凝視片刻，說：「我看見你的心啦，方寸之地虛弱無
力。」

出處：見《列子·仲尼》

釋義：指心。方寸，心的別稱。

近義：寸心之中

146. 方寸大亂

典故：<u>漢末三國</u>時代，有個叫<u>徐庶</u>的人，他很有智謀，對母親又
十分孝順。<u>徐庶</u>本是<u>劉備</u>的軍師，但<u>曹操</u>也很賞識他，想
要他脫離<u>劉備</u>，為自己效勞，於是便把<u>徐庶</u>的母親軟禁起
來，再假冒<u>徐母</u>的名寫信叫<u>徐庶</u>前來投靠。<u>徐庶</u>接到信
後，以為是母親的親筆，急著要走，便對<u>劉備</u>說：「我母
親在<u>曹操</u>那裏，我的方寸已亂，再不能替你出主意了。」

出處：見《三國志·蜀書·諸葛亮傳》

釋義：心思十分混亂，不能好好地考慮問題。

近義：心亂如麻/六神無主　　**反義：**氣定神閒

147. 比肩接踵

典故：春秋時候，齊國有個大臣名叫晏嬰，他身材矮小，口才卻
　　　很好，歷史上有不少關於他的故事。有一次，晏嬰出使楚
　　　國，楚王見了他，竟然傲慢地說：「你們齊國沒有人才
　　　嗎？怎麼派你這個矮子來？」晏嬰回答道：「齊國的人多
　　　得比肩接踵，怎會沒有人才？不過我們的規矩是：體面能
　　　幹的人出使上等的國家，而像我這樣的人，就只好出使你
　　　們楚國了！」楚王自討沒趣，一時不知說些甚麼好。

出處：見《晏子春秋・雜下》

釋義：肩膀連肩膀，腳跟碰腳跟，比喻人多熱鬧。踵，腳跟。

近義：遊人如鯽　　　**反義**：人煙稀疏

148. 心悅誠服

典故：孟子是戰國時代的儒家大師，十分講求以德服人。他曾經
　　　這樣說過：如果你只會用武力用去制服一個人，就算這個
　　　人表面上很聽你的話，但內心卻並不服從你；可是，如果
　　　你能以道德的力量去使人信服你的話，那麼他便會對你真
　　　心誠意地佩服了。

出處：見《孟子・公孫丑上》

釋義：真心誠意佩服的意思。悅，愉快；誠，誠心；服，佩服。

近義：心服口服/五體投地　　　**反義**：心猶未甘/陽奉陰違

149. 心堅石穿

典故：傳說古代有個姓傅的人，非常喜歡道教的法術。一天，他到焦山去向太極老君學道，太極老君要試驗他的誠意，給他一個木錐子，叫他把一個石盤鑽穿。經過四十年的不懈努力，這個石盤終於被他鑽穿了，他也因此得道成仙。

出處：見王懋《野客叢書》

釋義：說明只要有決心，有恆心，就能克服困難，實現理想。

近義：磨杵成針/鍥而不捨　　**反義：**三心兩意

150. 牛刀割雞

典故：春秋時代，孔子的學生子游在魯國的一個小縣當縣令。子游在縣城裏興辦教育，到處書聲琅琅，弦歌陣陣。孔子微笑著對子游說：「殺雞哪需用牛刀呢？治理一個小縣，也用得著辦教育嗎？」子游回答道：「老師說過：『上層社會的人受了教育，就會有仁愛；一般平民受了教育，便會聽從政令。』」孔子聽了，向身邊的學生說：「子游的話是對的，剛才我所說的，只不過是跟他開玩笑罷了！」

出處：見《論語・陽貨》

釋義：用宰牛的刀來殺雞，比喻大材小用。

近義：大材小用

151. 反求諸己

典故： 戰國時代，儒家大師孟子主張行仁道，並認為每個人都可以行仁道。他曾借射箭作比喻說：「行仁道的人就好像比賽射箭一樣，射箭的人應先端正姿勢，然後放箭，如果射不中，就不要埋怨別人勝過自己，而應回過頭來，自我反省，要求自己做好些。」

出處： 見《孟子‧公孫丑上》

釋義： 回過頭來要求自己，作出反省。

近義： 反躬自省／捫心自問　　**反義：** 怨天尤人

152. 毛遂自薦

典故： 戰國時代，趙國的平原君門下供養了許多食客。一次，秦兵包圍趙都邯鄲，趙王派平原君向楚國求救。平原君想挑選二十個隨從，怎料只得十九人。這時，一位名叫毛遂的食客主動要求隨行，平原君說：「一個人若真有才能，應像錐子放在布袋裏一樣，立刻會露出鋒芒來；但你在我門下三年，從未聽說你有甚麼特別的才能。」毛遂說：「我現在向你自薦，就是請你放我在袋子中，使我的才能早日顯露出來。後來，平原君果然藉著毛遂能言善辯的口才，請得救兵，解救了趙國的危機。

出處： 參見「62‧三寸之舌」／《史記‧平原君列傳》

釋義： 自告奮勇，主動要求承擔某項任務。

近義： 自告奮勇／挺身而出　　**反義：** 推三托四

153. 升堂入室

典故：孔子的學生子路喜歡鼓琴。有一次，子路在孔子家中鼓
琴，孔子因不滿他所彈的曲調，就不大高興地說：「仲由
（子路的字），你為甚麼到我家來彈這種曲調呢？」其他
學生因此瞧不起子路了。孔子發覺學生們誤解了他的話，
就解釋說：「由也升堂矣，未入於室也。」意思是說：子
路嘛，琴藝已經很不錯，只是還未達到高妙的境界罷了。

出處：見《論語‧先進》

釋義：登上廳堂，進入內室。入室比喻最高境界，登堂是入室的
初階。比喻學問或技藝由淺入深，循序漸進，達到高妙的
境界，用來讚揚人的學問或技藝有高深的造詣。

近義：登峰造極/出類拔萃　　**反義**：初窺門徑/僅得皮毛

154. 少見多怪

典故：從前，有一個人，從來沒有見過駱駝，也根本不知道有這
樣一種動物。有一天，他偶然看見一頭牲口，背上長著兩
個大肉疙瘩，覺得非常奇怪，不禁失聲大叫：「哎呀，大
家快來看哪，瞧這匹馬，他的背腫得有多高呀！」大家被
他這麼一喊，還以為真有這回事，爭相來看，可原來是一
匹駱駝，眾人大笑不止。

出處：見牟融《牟子》

釋義：形容見識少的人遇到平常的事也覺得非常奇怪。多用於嘲
諷別人見聞淺陋。

近義：大驚小怪　　**反義**：司空見慣/習以為常

155. 匹夫之勇

典故： 楚漢相爭時，有一次，劉邦請大將韓信分析天下形勢，
以制定進軍策略。韓信說：「目前與大王爭奪天下的主要
對手是項羽。項羽的勇猛天下聞名，一聲呼喝，好像可以
排山倒海似的，但他不能善用有才能的人，處事又不顧大
體，以致部下不服，諸侯離心；而且放縱軍隊騷擾百姓，
百姓怨聲載道，所以項羽的這種勇猛，只能算是匹夫之
勇，目前雖強大無比，但很快將會轉弱的。」劉邦聽了這
一番話，心中非常高興，就放手讓韓信揮軍進攻項羽。

出處： 見《史記‧淮陰侯列傳》

釋義： 指不用智謀，只憑個人的勇武逞強爭勝。匹夫，一個人，
一般指無謀略的人。

近義： 有勇無謀／一介莽夫　　　**反義：** 智勇雙全／大將之風

156. 中流擊楫

典故： 東晉時候，愛國志士祖逖請求晉元帝讓他領兵收復被胡人
侵佔的國土；元帝答應了，但只給他很少的士兵和武器。
祖逖意志堅決，帶兵橫渡長江北上。船到江心，他敲擊船
槳發誓說：「如不能肅清中原的胡人，我就像江水那樣一
去不回。」祖逖渡江後，招兵買馬，奮勇作戰，收復了一
部分土地。

出處： 見《晉書‧祖逖傳》

釋義： 形容意志堅決，充滿激情。楫，船槳。

157. 中流砥柱

典故：遠古時代，洪水為患，舜帝便命夏禹治水，於是夏禹領導
人民疏通江河。夏禹來到黃河 三門峽附近時，看見有一
座大山阻塞了水流，他便命人鑿寬山的兩側，讓河水繞山
而過。黃河水從三門峽奔騰而下，直向這座山沖去，而這
座山就像一根高大的石柱，屹立在急流之中，因此人們把
它稱為「砥柱山」。

出處：見《水經注·河水注》

釋義：屹立於江河急流中的石柱；比喻一種能支撐大局的力量，
不折不撓。

近義：中堅份子/擎天一柱　　**反義**：無足輕重

158. 手舞足蹈

典故：古典小說《紅樓夢》裏有這樣一個情節：劉姥姥進大觀園
後，有一次喝酒不慎摔破了酒杯，便抱怨說，如果有木頭
做的酒杯就不會打爛了。鳳姐聽後便應道：我這裏倒有一
套木頭酒杯，但有個規矩，這一套十杯你要喝遍。劉姥姥
未曾見過如此精緻的酒杯，不由興高彩烈，開懷暢飲。這
時，府中又傳來優美的樂曲聲，令人心曠神怡，劉姥姥興
致更濃，不禁手舞足蹈起來。

出處：見《紅樓夢》第四十回

釋義：形容十分高興、又蹦又跳的樣子。舞，揮舞；蹈，跳動。

近義：興高彩烈　　**反義**：悶悶不樂/垂頭喪氣

159. 手不釋卷

典故：三國時候，吳國有一個將領，名叫呂蒙，他勇猛善戰，卻不愛讀書，並以「領兵打扙，沒有時間」為由替自己辯解。吳王孫權勸導他說：「時間是擠出來的。漢光武帝在戎馬倥傯之中，常常手不釋卷，後來成為一個出色的明君。」呂蒙聽後深受啟發，從此努力讀書，後來成了吳國的主將，有勇有謀，屢建奇功。

出處：見《三國志・吳書・呂蒙傳》

釋義：手中常常拿著書本閱讀，不肯放下。形容讀書十分勤奮。釋，放下；卷，書本。

近義：孜孜不倦　　**反義：**一曝十寒

160. 手到拿來

典故：元代有一齣戲曲，劇情是這樣的：兩個賊人冒稱梁山泊好漢宋江和魯智深，搶走了杏花村酒店老闆王林的女兒，聲稱要她做宋江的壓寨夫人。剛好李逵下山聽說這件事，便怒氣衝衝地跑回山寨責問宋江和魯智深；兩人莫名其妙，多方辯白，但李逵不信，拿腦袋與宋江打賭。於是三人一起來到王林家，一經對質，果然不是宋江。回山後，宋江要把李逵砍頭。恰在這時，傳報兩個賊人又到王林店中，於是宋江命李逵下山捉拿賊人，將功補過。李逵連忙謝恩，並說：「我一定象甕中捉鱉那樣，手到拿來。」說完便下山將兩個賊人捉來。

出處：見《元曲選・李逵負荊》

釋義：比喻做事毫不費力。也作「手到擒來」。

近義：易如反掌/唾手可得　　**反義：**重如舉鼎

【五畫】

161. 四分五裂

典故：戰國時代，<u>張儀</u>作為<u>秦國</u>使者游說<u>魏王</u>，勸<u>魏王</u>與<u>秦國</u>交好，依附<u>秦國</u>。<u>張儀</u>對<u>魏王</u>說，<u>魏國</u>處予<u>鄭</u>、<u>陳</u>、<u>楚</u>、<u>韓</u>、<u>趙</u>、<u>齊</u>六國之間，周圍又無險可守，如果得罪六國，隨時可能被四面包圍，變成一片大戰場，如果與其中一兩個國家交好，別的國家還是可以從各自不同的方向進攻<u>魏國</u>，這就是所謂四分五裂的情形，只有依附<u>秦國</u>，別國才不敢進攻<u>魏國</u>，大王才可高枕無憂。<u>魏王</u>雖然明白附<u>秦</u>是不利的，但迫於形勢，也只好同意了。

出處：見《戰國策·魏策一》

釋義：形容事物零碎分散，也指不團結或不統一。

近義：支離破碎/分崩離析　　**反義：**鐵板一塊/完整無缺

162. 四平八穩

典故：古典小說《水滸傳》中有以下這樣一個情節。江湖好漢<u>楊林</u>，準備投奔<u>梁山</u>；路上遇見<u>梁山</u>好漢<u>戴宗</u>，兩人結伴同行。路過<u>飲馬川</u>，他們被邀到山寨中來，見到那山寨的寨主<u>裴宣</u>，生得一表人才，四平八穩。原來這<u>裴宣</u>，出身官府小吏，不但武藝高強，而且寫得一手好文章。大家見了，皆大歡喜，商議一齊到<u>梁山</u>入伙。

出處：見《水滸傳》第四十三回

釋義：指人的儀表端莊，舉止穩重。現在多用來形容說話、做事、寫文章穩當。平，平正；穩，穩重、穩當。

近義：面面俱圓

163. 四面楚歌

典故：楚漢相爭後期，項羽由強變弱，節節敗退。終於，項羽被漢軍圍困在垓下（在今安徽省靈壁縣境）。楚軍不但人數不多，而且糧食短缺。這時，劉邦用張良等悲歌散楚的計策，教士兵學唱楚地的民歌，以觸動楚軍的思鄉情緒，瓦解楚軍的鬥志。一天夜裏，在楚軍周圍的漢軍營壘中，傳來了陣陣的楚歌。項羽聽了大吃一驚説：「漢軍已佔領楚地了嗎？不然，為甚麼他們軍中有那麼多楚人呢？」他哪裏知道這是漢軍的心理戰術呢。

出處：見《史記‧項羽本紀》

釋義：四面都響起了楚地的民歌，比喻四面受敵，處於孤立危急的境地。

近義：腹背受敵/兵臨城下　　**反義：**穩如泰山

164. 白雲蒼狗

典故：唐朝有個詩人王季友，品德學問都很好，但家境貧困。他妻子不願同甘苦，終於和他離開。有些人不了解內情，紛紛議論，説是王季友不對。大詩人杜甫為此便寫了一首詩，首兩句是：「天上浮雲似白衣，斯須變幻為蒼狗。」藉此感歎世事變幻無常和為王季友抱不平。

出處：見《杜工部集‧可歎》

釋義：一朵朵白雲，轉眼變幻成一隻隻黑狗的模樣，比喻世事變幻無常。

近義：變幻無常　　**反義：**一成不變

165. 白駒過隙

典故： 從前，有個人在屋裏，忽然看見大門的隙縫中有一道白光閃過。他覺得很奇怪，自然地望向窗外，便看見一匹白色的駿馬，剛好飛快地跑過自己的房子，轉眼便消失在前面的樹林中。這人靜心一想，明白剛才門隙中的白光一閃，便是白馬從門前飛奔而過給他的感覺了。從這一瞬間的情景，他領悟到人生在世，也正如白馬馳過窄縫一樣，很快就過去了。

出處： 見《莊子・知北游》

釋義： 白色駿馬馳過狹小的縫隙。比喻時間過得很快，轉眼便過去。駒，駿馬；隙，窄縫。

近義： 光陰似箭／稍縱即逝　　**反義：** 度日如年／一日三秋

166. 世外桃源

典故： 據說晉朝時候，有一個漁夫，划著船沿溪打漁，不覺迷了路。忽然看見一片桃花林，掩映小溪兩岸，吐艷爭芳。到了溪流源頭，看到一座小山，山前有個洞口，洞裏好像有點亮光，漁夫便下船從洞口鑽進去。原來裏面是一片平地，有屋舍人家。人們耕種自給，安居樂業，人與人之間相處得很好，過著與世無爭的生活。漁夫遇見一些農夫，他們熱情地請漁夫到家中作客。大家傾談起來，才知道這些人的祖先是在秦代逃難到這裏來的，從此便與外界斷絕了來往。

出處： 見《陶靖節集・桃花源記》

釋義： 一種理想中的與世隔絕、生活安樂的地方。多用來比喻寧靜幽美的地方或幻想中的美妙境界。

近義： 洞天福地　　**反義：** 人間地獄。

167. 石破天驚

典故：唐代的詩人李賀，寫了一首描摹音樂的詩，題為《李憑箜篌引》，稱讚當時的音樂家李憑彈奏箜篌的高超技藝。詩中有這樣兩句：「女媧煉石補天處，石破天驚逗秋雨。」意思是說，樂曲聲傳到天上，正在煉石補天的女媧娘娘聽得入了迷，竟然忘記自己的工作，結果石頭破裂，天宇震驚，碎石化作秋雨，傾盆而下。

出處：見《李長吉集》

釋義：石頭破裂，驚天動地。比喻言論或事態非常奇特，出乎意料之外，使人震驚。

近義：驚天動地　　**反義**：平淡無奇

168. 平心靜氣

典故：古典小說《紅樓夢》裏有這樣一個情節：一次，大觀園裏的小丫頭揀到一件不文的東西，落到王夫人手中。王夫人十分怒氣，來到鳳姐房中，要徹查這玩意是誰的。鳳姐見狀，對王夫人說：「太太快別生氣……且平心靜氣暗暗訪察，才得確實，縱然訪不著，外人也不能知道。」隨後，因為有人從中挑撥，引發了一場「抄檢大觀園」的風波。

出處：見《紅樓夢》第七十四回

釋義：心平氣和，思想冷靜，不感情用事。平心，心情平和，不動感情。

近義：心平氣和　　**反義**：氣急敗壞/煩躁不安

169. 功虧一簣

典故：古時候有人要堆積一座九仞（一仞等於八尺）高的山。他
用羅筐裝土，一筐一筐地往上堆。堆到差不多有九仞高
了，只要再加一筐，就能大功告成；可惜堆山的人沒有堅
持到底，就差最後一筐沒加上去，終於未能堆成這一座九
仞之山。這就是所謂「為山九仞，功虧一簣」。

出處：見《尚書·旅獒》

釋義：比喻辦理一件事情，只差那麼一點點而未能成功。虧，欠
缺；簣，土筐。

近義：功敗垂成　　**反義：**大功告成

170. 瓜田李下

典故：有一首古詩，題為《君子行》，開頭四句這樣寫道：「君
子防未然，不處嫌疑間。瓜田不納履，李下不整冠。」意
思是說：有德行的人，從人家的瓜田經過時，即使鞋子脫
落了，也不要彎下腰去穿上它，這是為避嫌疑，免得人家
以為你在偷瓜，同樣，從人家的李樹下經過時，即使帽子
碰歪了，也不要舉手去扶正它，這也是為了避嫌疑，免得
人家以為你在偷李子。

出處：見《樂府詩選》

釋義：比喻容易使人產生嫌疑的地方。

近義：瓜李之嫌　　**反義：**避嫌遠疑

171. 外強中乾

典故：春秋時代，秦穆公領兵功打晉國，晉惠公親自領兵抵抗。
戰鬥開始前，晉惠公命人給他的戰車套上鄭國出產的駿
馬。大臣慶鄭勸晉惠公道：本國馬適應本國的水土，又經
過訓練，駕馭起來得心應手，而這種鄭國馬外貌雖然強
壯，但打起仗來牠會很緊張，不聽指揮，失去常態，實是
外強中乾。晉惠公沒聽從慶鄭勸告，結果戰車無法駕馭，
陷入泥坑而被俘。

出處：見《左傳·僖公十五年》

釋義：外表好像很強大，內裏實際很虛弱。

近義：色厲內荏/羊質虎皮　　　**反義：**表裏如一

172. 司空見慣

典故：唐朝時侯，詩人劉禹錫將被派到蘇州做官，要遠離繁華的
京師；宰相李紳請他到家中喝酒，宴席間還有美女歌舞助
興。劉禹錫百感交集，便寫了一首詩贈給李紳，其中有這
樣兩句：「司空見慣渾閒事，斷盡江南刺史腸。」意思是
説，你見慣了這種奢華場面覺得極平常，而我這個江南刺
史卻難得再見這種場面，令我更覺傷心失意。」

出處：見孟棨《本事詩》

釋義：形容經常看到，不足為奇。司空，古代官制中三個職位最
高的官員之一；後也代指宰相。

近義：屢見不鮮/不足為奇　　　**反義：**少見多怪

173. 目不識丁

典故： 唐朝時候，有兩個軍官，一個叫韋雍，一個叫張宗厚。他
們經常在一起喝酒，喝到三更半夜，酩酊大醉，然後，要
衛士扶著回家。衛士稍有不如意的地方，兩人就破口大
罵。有一次，他們對衛士吼罵道：「現在天下太平無事，
你們能拉得開二百多斤重的硬弓，還不如識一個『丁』
字」。後來人們把「不如識一個丁字」說成「目不識丁」，
作為一個成語。

出處： 見《舊唐書·張弘靖傳》

釋義： 形容一個人沒有文化，連一個字也不認識。丁，指簡單易
認的字。

近義： 胸無點墨　　**反義：** 學富五車/滿腹經綸

174. 打草驚蛇

典故： 唐朝時候，有個縣令名叫王魯，是個貪官。他串通手下，
敲詐百姓。有一次，老百姓寫狀控告王魯，而狀紙卻落到
王魯的手裏；王魯一看，發覺上面所寫的罪行，每一項都
與他有關，十分害怕，連忙拿起筆來，在狀紙上寫下「汝
雖打草，吾已驚蛇」八個字，意思是說，你們雖然在打
草，但我就好像藏在草叢中的蛇一樣，受到了驚嚇。

出處： 見《西陽雜俎》

釋義： 比喻因為行事不周密，使對方有所警戒，而預先作出防
備。

近義： 走漏風聲　　**反義：** 不動聲色

175. 生花妙筆

典故：李白是唐代的天才詩人。他的奇思妙想，有如「黃河之水天上來」，大江東去浪滔滔。傳說他年幼時作過一場夢，夢中看見自己手中的毛筆頭上長出一朵燦爛的花來。自此以後，他的創作靈感便源源不絕，寫出一篇篇千古傳誦的詩歌。

出處：見《開元天寶遺事・夢筆頭生花》

釋義：形容很有寫作才能，文章寫得非常生動和優美。

近義：妙思泉湧　　**反義**：平舖直敘/質木無文

176. 生靈塗炭

典故：五胡十六國時期，前秦被後秦打敗，國王苻堅被活捉處死。前秦大臣王永企圖復國，擁立苻堅之子苻丕，寫了一篇通告，訴說先帝遇害，首都陷落，神州蕭條，生靈塗炭；號召前秦各地軍隊聯合起來，共同討伐後秦。不過，由於前秦已處於分崩離析的狀態，王永終於未能達到復國的願望。

出處：見《晉書・苻丕載記》

釋義：形容老百姓處於水深火熱、極端困苦的境地。生靈，指百姓；塗炭，泥沼和炭火。

近義：民不聊生　　**反義**：安居樂業

177. 生吞活剝

典故：唐朝時候，有一個叫做張懷慶的武夫，貪圖名譽，喜歡附庸風雅，經常把別人詩歌文章中的佳詞妙句改頭換面抄襲過來，當作自己的作品。因此，時人給他編了兩句順口溜：「活剝王昌齡，生吞郭正一。」（王昌齡與郭正一都是唐代著名的詩人）。後來，人們從這兩句順口溜中摘取「活剝」與「生吞」來構成「生吞活剝」這個成語。

出處：見《大唐新語·諧謔》

釋義：比喻沒有融匯貫通，生硬地模仿或照搬別人現成的詞句、理論、經驗、方法等。吞，整個地咽下去；剝，把皮除掉。

近義：生搬硬套　　**反義**：融匯貫通

178. 包藏禍心

典故：春秋時代，楚國公子圍與鄭國豐氏聯婚。公子圍存心不善，想借迎親之機，偷襲鄭國。於是他駕著戰車，帶著軍隊，浩浩蕩蕩，直奔鄭國而來。鄭國人見公子圍不懷好意，便婉言相拒，不讓進城，要求婚禮在城外舉行。公子圍以受到侮辱為由，百般恫嚇誘逼。鄭國人乾脆直言不諱地說：鄭國是一個小國，依靠大國保護自己的安全；但如果大國包藏禍心，暗算我們，我們也不會任人擺佈的。公子圍知道自己的陰謀已被揭穿，鄭國已有准備，只好解除武裝，帶領少數隨從，進城與豐氏完婚。

出處：見《左傳·昭公元年》

釋義：表面上和善，心中卻懷有惡意。包藏，包含、隱藏；禍心，作惡害人的念頭。

近義：口蜜腹劍/心懷不軌　　**反義**：肝膽相照/胸懷坦蕩

179. 未兩綢繆

典故： 有一首古詩，據説是周公寫信給侄兒周成王，勸他要時時勤謹警惕，辦好國事。詩中第二節的大意是：趁著天晴不下雨，取些桑根皮，修補（綢繆）舊窗戶；這樣的房屋很牢固，就能經受得起風雨的吹襲了。孔子和孟子都十分欣賞這首詩，認為它説得很對，治理國家的人就應該未雨綢繆，在太平無事時做好防範的工作。

出處： 見《詩經・豳風》

釋義： 在未下雨時，先把房屋門窗修繕好，比喻事前做足准備工夫，在禍患還沒發生時就加以防範。綢繆，緊密地捆纏。

近義： 防患未然／有備無患　　**反義：** 臨渴掘井／亡羊補牢

180. 付之一炬

典故： 秦始皇的時候，在首都咸陽建造一座宮室，名叫「阿房宮」，設計極為富麗堂皇；可未及建成，秦朝即告滅亡。《史記》記載楚霸王項羽揮軍進入咸陽，「燒秦宮室，火三月不滅」。後人誤以為「秦宮室」即指阿房宮。唐代詩人杜牧，據此寫了一篇文章，題為《阿房宮賦》，其中有這樣一句話：「楚人一炬，可憐焦土。」抒發了他的感慨。

出處： 見《樊川文集》

釋義： 把它交給一把火，即一把火把所有東西燒光。付，交給；炬，火把。

近義： 付之丙丁／毀於一旦

181. 巧奪天工

典故：三國時候，魏文帝的皇后甄氏，慧中秀外，心靈手巧。傳
說宮廷中有一條綠色的蛇，每當甄后梳妝時就在她的面前
盤成一個髮髻；甄后非常驚奇，就模仿牠的形狀來梳頭，
所綰成的髮髻果然別有一種風韻，巧奪天工。

出處：見《採蘭雜志》

釋義：人工的精巧勝過天然。形容技藝高超巧妙。巧，精巧；
奪，勝過、蓋過；天，天然、大自然。

近義：鬼斧神工　　**反義：**平平無奇

182. 巧取豪奪

典故：宋朝時候，有一個名叫米友仁的書畫家，十分喜愛古代書
畫；但他品行不端，常常採用卑鄙的手段去騙取或掠奪。
有時，把人家珍藏的古本借來，精心臨摹，然後以假亂
真，留下真本，把假本歸還原主；有時，死纏爛打，甚至
以自殺相威脅，要求人家把真本換給他。米友仁如此巧取
豪奪，所得甚多，但他的為人，卻受到笑罵。

出處：見周輝《清波雜志》

釋義：採用巧妙的手段騙取或強硬的辦法掠奪。巧取，騙取；
豪奪，強奪。

近義：敲詐勒索/敲骨吸髓　　**反義：**樂善好施

183. 正襟危坐

典故： 西漢初年，有一位以占卜著名的人，名叫司馬季主。有一次，名士賈誼和宋忠前往拜訪他，司馬季主向兩人講述天道和吉凶的道理，兩人深受啟發，大為佩服，在不知不覺之中，理好衣襟，坐得端端正正。

出處： 見《史記‧日者列傳》

釋義： 形容嚴肅、恭敬或拘謹的神態。危，端正。

近義： 整衣危坐　　**反義：** 東倒西歪

184. 民不聊生

典故： 戰國末期，楚國對秦的外交失利，戰爭失敗。楚公子春申君黃歇，害怕秦國出兵滅楚，便寫信給秦昭王，勸他與楚國和好，消滅韓、魏兩國。信中說，秦國攻佔了韓、魏的許多土地，搞得兩國殘破不堪，「人民不聊生」，結下了深仇，如果不清滅他們，一定會有後患，因此，秦應與楚國聯合去消滅韓、魏。秦昭王聽信春申君的話，果然與楚國結盟。

出處： 見《史記‧春申君列傳》

釋義： 老百姓生活無著，痛苦不堪。聊，依賴、憑借。

近義： 哀鴻遍野／生靈塗炭　　**反義：** 國泰民安／民康物阜

185. 出爾反爾

典故：戰國時候，鄒國與魯國打仗，鄒國大敗，死傷很多。鄒穆公對孟子說：「我的官員死了三十多人，老百姓卻坐視不救，是否應該懲罰他們？」孟子說：「你的官吏對老百姓不好，欺壓他們，百姓如何肯捨命相救？正如曾子所說的，你怎麼對待別人，別人也就怎麼對待你，你不要責怪百姓吧。」

出處：見《孟子・梁惠王下》

釋義：原指出於你的是怎樣的態度，反過來對待你的一定也是同樣的態度；後來轉為說出口的是你，推翻不算數的也是你，形容說話、做事反覆無常，前後矛盾。爾，你。

近義：朝三暮四／反覆無常　　　**反義：**說一不二／一諾千金

186. 出類拔萃

典故：宰我、子貢和有若三人，都是孔子的學生，他們對老師非常敬佩。有一次，他們坐在一起，情不自禁地誇耀起孔子來。宰我說老師比堯、舜強；子貢認為自古以來無人可與老師相比；有若接上去說，是啊，天下萬物都有同類，如麒麟相比於走獸，鳳凰相比於飛鳥，泰山相比於土堆，江海相比於小溪，聖人與百姓也是同類，但老師的才德卻「出乎其類，拔乎其萃」。

出處：見《孟子・公孫丑上》

釋義：形容品德、才能超過一般人。出，超出；類，同類；拔，高出；萃，草叢的樣子，指聚集在一起的事物或人。

近義：鶴立雞群／無與倫比　　　**反義：**庸庸碌碌／平平無奇

187. 出奇制勝

典故：戰國時候，燕國大將樂毅聯合秦、趙等國攻齊，齊國連吃
敗仗，被攻陷了七十多座城池，連首都臨淄也陷落。齊國
的小城即墨有一個叫田單的人，被推舉為守城統帥，這座
小城幸得保住。田單志在復國。他首先採用反間計，使燕
王失去對樂毅的信任，以騎劫代樂毅為將。接著，田單巧
佈「火牛陣」，大破燕軍，騎劫也被活捉處死。他揮軍乘
勝追擊，收復了齊國所失去的全部土地。太史公司馬遷稱
讚田單復國是出奇制勝。

出處：見《史記‧田單列傳》

釋義：用奇兵或奇計克敵制勝，也泛指用對方料想不到的方法來
取勝。奇，奇兵或奇計；制，取得。

近義：出其不意　　**反義**：墨守成規

188. 以訛傳訛

典故：古典小說《紅樓夢》裏有以下這樣一個情節。一天，寶釵、
黛玉與李紈等人一起與賈母玩燈謎遊戲。大家說了幾個燈
謎，都猜對了，便有人提議寶釵新編幾個。寶釵笑著說：
「我挑十個地方的古蹟，做十首懷古詩，每首詩暗隱一件
俗物，請大家猜一猜。」詩做出來後，大家看了都稱奇道
妙。寶釵說，只是後兩首詩在史書上無據可查，是否重做
兩首。黛玉說這沒關係，李紈也接著說：「古往今來，以
訛傳訛的事太多了，只管留著這兩首吧。」

出處：見《紅樓夢》第五十一回

釋義：把本來就不正確的消息再錯誤地傳開，結果愈傳愈錯。
訛，謬誤。

近義：三人成虎　　**反義**：言之鑿鑿

189. 以珠彈雀

典故：莊子是戰國時代道家的代表人物，他想像力豐富，很會寫
　　　文章，曾在文章中講了這樣一個故事：有一個人，見到天
　　　上很多雀鳥在飛翔，便想把牠射下來；但這人身上沒有彈
　　　丸，便用一顆珍貴的明珠充當；可是當他把雀鳥射下之
　　　後，才發覺明珠不見了。因此世人都取笑他，說他所失去
　　　的太貴重，但得到的卻很微薄。

出處：見《莊子‧讓己》

釋義：用明珠作彈丸去彈射雀鳥，比喻得不償失。

近義：得不償失　　　反義：拋磚引玉

190. 以卵擊石

典故：春秋末期，有一次，宋人墨子要往北到齊國去。路上遇到
　　　一個算命先生，他對墨子說：「根據我的神機妙算，今天
　　　北方忌見黑色，而你的臉色卻比較黑，如果你今天北行，
　　　一定大大不利。」墨子不肯相信，兩人爭論起來。墨子對
　　　算命先生說：「你說的全是謊誕之言，我說的卻句句是真
　　　理。你想用你的謊言來否定我的真理，那就等於以雞蛋投
　　　向石頭，即使你把所有的蛋全都投擲過來，我這堅實的石
　　　頭也不會受到絲毫損傷的！」

出處：見《墨子‧貴義》

釋義：拿雞蛋去碰石頭，比喻不自量力，自取滅亡。卵，雞蛋。

近義：螳臂擋車/飛蛾撲火　　　反義：泰山壓頂/牛刀割雞

191. 以長擊短

典故：楚漢相爭時，韓信為漢王劉邦打了許多勝仗，準備繼續
進軍。一次，韓信與屬下李左車探討繼續用兵的策略，李
左車先為韓信分析了當時的情勢，然後說：善於用兵的
人，從不以自己的短處去攻擊別人的長處，而是用自己的
長處去攻擊別人的短處。韓信覺得李左車的話很有道理，
便依他的計策而行。

出處：見《史記・淮陰侯列傳》

釋義：用自己的長處去攻擊別人的短處。長，長處、優勢；短，
短處、弱點。

近義：揚長避短　　**反義：**以卵擊石

192. 以貌取人

典故：孔子有個學生名叫澹台滅明，字子羽。子羽的外貌醜陋，
起初孔子認為他資質一定不好，難以培養成才。不料事實
卻證明子羽聰明勤奮，品學兼優；學成後拜他為師的人很
多，聲名遠播。因此，孔子自我檢討說，所謂以貌取人，
就好像是我看待子羽那樣，這是我的過失啊。

出處：見《史記・仲尼弟子列傳》

釋義：只憑外貌來判斷一個人的品質或才能，並決定對待這個人
的態度。

近義：衣帽取人　　**反義：**不可貌相

【六畫】

193. 百發百中

典故：春秋時候，楚國有兩個射箭能手，一個叫潘黨，一個叫養由基。有一次，兩人比賽射箭。潘黨每箭皆射中靶心，但養由基說：「這不算甚麼，我能在百步以外，射中柳樹的葉子。」潘黨於是選定柳樹上的三片葉子，養由基退到百步外，連射三箭，果然，每箭都射中葉心，大家稱讚他是百發中的神箭手。

出處：見《戰國策・西周策》

釋義：形容射箭或射擊的技術很高明，每一次都能命中目標。發，發射；中，命中目標。

194. 百花齊放

典故：歷史小說《隋唐演義》有這樣一個情節：一次，隋煬帝在御花園中，看見花卉凋零，感到悶悶不樂。這時，一個妃子為了討煬帝的歡心，就向他獻媚說：「陛下想不寂寞，有甚麼困難呢，待我今夜虔誠地向花神禱告，保證明天百花齊放。」

出處：見《隋唐演義》第二十八回

釋義：各種花卉同時開放，常用來比喻不同形式和風格自由發展，呈現出一派繁榮景象。

近義：萬紫千紅/桃李春風　　**反義：**一花獨放/慘綠愁紅

195. 百家爭鳴

典故： 晚清學者俞樾在論及歷史文化現象時有這樣的話：「百家
爭鳴，或傳或不傳；而言之有故，持之成理者，屈指可
盡。」意思是說，春秋戰國以來，各家各說，有的流傳下
來，有的則沒有流傳；而流傳下來的，真正言之有據，能
自圓其說者，屈指可數。清末民初以來，「百家爭鳴」一
語遂成為概括描狀學術文化界自由爭論、互相辯難的繁榮
局面與熱烈氣氛。

出處： 見《春在堂隨筆》卷三

釋義： 比喻學術上不同學派自由爭論的局面和風氣。

近義： 學術自由/言者無罪　　**反義：** 獨尊儒術/萬馬齊瘖

196. 百折不撓

典故： 東漢時候，有個大臣，名叫橋玄。一天，橋玄抱病在家，
他的小兒子在家門口被三個強盜綁架，強迫橋玄要出錢贖
回，橋玄決不屈服，一文不給。當地武官得知消息，帶領
士卒來救，把強盜團團圍住，但不敢逼得太緊，擔心逼緊
了強盜會傷害孩子。橋玄見到這種情形，便叫官兵奮力捉
拿。結果，三個強盜全被捕了，但橋玄的小兒子卻因此犧
牲。世人稱讚橋玄深明大義，百折不撓。

出處： 見《後漢書·橋玄傳》

釋義： 形容意志堅強，無論受到多少次挫折，都不退縮或屈服。
折，扭曲、折彎；撓，彎曲。

近義： 不屈不撓/堅忍不拔　　**反義：** 一蹶不振/知難而退

197. 百感交集

典故：西晉末年，發生了「永嘉之亂」，皇帝及許多皇室貴族、大臣都被匈奴俘虜北去。當時，中原人士紛紛南遷避亂，稱為晉室衣冠南渡。南遷人士中，有一個叫衛玠的，原是西晉大臣，他在渡長江的時候，心中淒慘，形容憔悴，向身邊的人說：「對著這茫茫的江水，不覺百端交集」。

出處：見《世說新語‧言語》

釋義：許多不同的感想交織在一起，形容感慨非常多。感，感觸、情感；交，一齊、同時（發生）；集，聚集、會合。

近義：思緒萬千／悲喜交集　　**反義**：萬慮俱消／心如死灰

198. 先發制人

典故：秦朝末年，天下大亂。會稽郡有個長官，名叫殷通，一向與項梁、項羽叔侄交好，便把他們請來，共商反秦大計。殷通對項梁說：「現在是推翻秦朝的好時機，先動手的就能制服別人，後動手的則會被人家制服。」他希望項梁叔侄能早下決心，協助自己起兵。可是，項梁認為殷通無能，難成大事，於是真的來個「先發制人」，暗示項羽殺掉殷通，然後收編殷通的部屬，合共八千多人，舉起反秦大旗。

出處：見《漢書‧項藉傳》

釋義：先下手制服對方，以爭取主動。發，開始行動；制，控制、制服。

近義：先聲奪人　　**反義**：後發制人

199. 自慚形穢

典故： 晉朝時候，人們十分講究儀容舉止。當時，有一個叫衛玠的，是著名的美男子，非常英俊，氣質高貴文雅。衛玠的舅父王濟對他十分器重，曾經情不自禁地說：「衛玠就象我身旁的玉一樣，使我因為自己的形貌粗俗醜陋而感到慚愧。」

出處： 見《晉書‧衛玠傳》

釋義： 因自己的儀容舉止不如別人俊雅而感到慚愧，比喻因自己不如別人而自卑。形穢，形貌醜陋、卑俗。

近義： 自愧不如／相形見絀　　**反義：** 自命不凡／自視甚高

200. 自相矛盾

典故： 古時候，有個售賣矛和盾的人，竭力在人前推銷自己的貨品。他舉起盾來說：「我的盾是全世界最堅固的，任何東西都刺不穿它。」說完又拿起長矛說：「我的矛是全世界最鋒利的，任何東西都可以把它刺穿。」有人聽後，笑著問他說：「那麼用你這最鋒利的矛，去刺你這最堅固的盾，又會怎樣呢？」那人愣了一下，不知怎樣回答。

出處： 見《韓非子‧難一》

釋義： 比喻言語或行動前後牴觸、互相對立的情況。矛，古代一種進攻用的武器；盾，古代一種防身用的武器。

近義： 自相牴牾　　**反義：** 自圓其說

201. 自知之明

典故： 戰國時候，齊國的宰相鄒忌，是個美男子，但他知道城北徐公比自己長得更美。有一天，他故意問妻子：「我和城北徐公相比，誰長得美？」妻子回答説：「當然是你長得美」。他又相繼去問妾侍及客人，回答也是一樣。鄒忌想，徐公明明長得比我美，但妻子愛我，妾侍怕我，客人有求於我，因此都説我比徐公美。從這裏，鄒忌悟出一個道理，人如果沒有自知之明，愛聽奉承的話，就很容易受蒙蔽；並用這個道理去規勸齊王要廣開言路，不要偏聽偏信。

出處： 見《戰國策·齊策》

釋義： 能夠客觀地認識自己、估計自己。明，洞察事物的能力。

反義： 夜郎自大／自不量力

202. 老馬識途

典故： 春秋時候，有一次，齊桓公在管仲的陪同下攻伐孤竹國。出師時是春天，凱旋回國時已是冬天了。由於路途上的景物已面目全非，軍隊因此迷了路，大家急得團團轉。這時候，管仲沉著冷靜地對桓公説：「我們可以運用老馬認路的智慧。」於是，他們挑選幾匹老馬在前面引路，終於找到了回國的道路。

出處： 見《韓非子·説林上》

釋義： 年老的馬能辨識道路，比喻閱歷多的人富有經驗，熟悉情況，在工作中具有帶頭作用。

近義： 駕輕就熟　　**反義：** 少不更事

203. 老生常談

典故： 三國時候，有一個叫管輅的，善於占卜相命。當時的名士何晏特地邀他相見，請他卜卦，恰巧另一位名士鄧颺也在何晏家。管輅即席說了一番命相的道理，要何晏修身養性，謹慎行事，改過從善，這樣便可以逢凶化吉，升任宰相，鄧颺在一旁聽得不耐煩了，說這只不過是老生常談。

出處： 見《三國志・魏書・管輅傳》

釋義： 老書生常講的話，比喻聽慣的話，沒有新意思。

近義： 陳詞濫調　　**反義：** 語驚四座

204. 老當益壯

典故： 東漢初年的名將馬援，為漢光武帝的建國立下了不少汗馬功勞。當他已是六十二歲高齡的時候，國家有事，還主動向朝廷請命，帶兵出征。馬援經常說：「大丈夫為志，窮當益堅，老當益壯。」意思是，作為一個男子漢，意志要愈窮愈堅定，氣概要愈老愈豪壯。最後，他戰死於沙場，為國捐軀。

出處： 見《後漢書・馬援傳》

釋義： 年紀愈大，志氣愈豪壯。當，應當；益，更加；壯，豪壯。

近義： 老驥伏櫪　　**反義：** 未老先衰

205. 同舟共濟

典故：春秋時代，吳和越是敵國，但當時的軍事家孫武卻講了這樣一個道理：吳國和越國的老百姓雖然因為國家敵對而互相仇恨，但是，如果兩國的老百姓乘坐同一條船渡河而遇上大風，卻一定會像左手和右手一樣互相救助，爭取克服風險，一齊到達彼岸。

出處：見《孫子·九地》

釋義：乘坐同一條船過河，比喻同心協力，共度難關。濟，渡河。

近義：風雨同舟/嫂溺援手　　**反義：**同室操戈/以鄰為壑

206. 如火如荼

典故：春秋末期，吳王夫差在黃池（今河南商丘）同諸侯會盟，與晉國爭霸。為了炫耀軍力，吳王把三萬多軍隊分為中、左、右三軍，各擺成一個正方形的陣勢。中軍穿白色鎧甲，左軍穿紅色，右軍穿黑色。晉軍觀察敵情時，看見吳軍的中軍像一片荼花，左軍像一團烈火，右軍像一池濃墨。晉君怯於吳軍的氣勢，終於把盟主之位讓給吳王。

出處：見《國語·吳語》

釋義：像烈火一樣紅，像荼花一片白。原指軍容盛大，現用來比喻氣勢旺盛，氣氛熱烈。荼，一種茅草的花，白色。

近義：排山倒海/洶湧澎湃　　**反義：**冷冷清清/一潭死水

207. 如坐針氈

典故：晉朝時候，杜錫擔任愍懷太子的隨從官，太子稍有過失，
他便懇切勸諫，弄得太子很不高興，便叫人把針放在杜錫
常坐的氈子上。杜錫沒有覺察，坐在那裏，被刺得皮破血
流，非常難受。後來，太子問杜錫被甚麼刺傷，他推說是
醉酒，不知為甚麼。於是太子說：「你常常怪責別人犯
錯，怎麼自己竟然說謊呢！」

出處：見《晉書‧杜錫傳》

釋義：像坐在插滿了針的氈子上一樣，形容焦急、憂慮，片刻不
得安寧。

近義：芒刺在背/坐立不安　　**反義：**泰然自若/處之泰然

208. 如魚得水

典故：東漢末年，劉備三顧茅廬，請諸葛亮(字孔明)出山相助，
拜為軍師，對他非常器重，優禮有加。關羽與張飛是劉備
的誼弟，心中不高興。劉備鑑於這種情況，就向他們兩人
解釋說：「我能夠有孔明，就像魚兒有了水一樣。」後來，
劉備在諸葛亮的輔佐下，終於能建立蜀漢政權；而劉備與
諸葛亮君臣相得，也傳為美談。

出處：見《三國志‧蜀書‧諸葛亮傳》

釋義：像魚兒得到水一樣。比喻得到跟自己最投合的人或對自己
最適合的環境。

近義：水乳交融　　**反義：**虎落平洋

209. 有恃無恐

典故：春秋時候，有一次，<u>齊國</u>準備趁<u>魯國</u>鬧飢荒的時機進攻<u>魯國</u>。<u>魯國</u>得到消息後，便派使者去勸阻<u>齊國</u>不要出兵。<u>齊孝公</u>問<u>魯</u>使說：「你們<u>魯國</u>人害怕嗎？」<u>魯</u>使說他們多數人都不怕。<u>齊孝公</u>說：「你們正鬧飢荒，依仗甚麼而不怕呢？」<u>魯</u>使說是依仗<u>齊</u>、<u>魯</u>兩國的友好關係，所以不怕，因為誰破壞這種關係，誰就會受到懲罰。<u>齊孝公</u>聽後，便停止了這次進攻。

出處：見《左傳・僖公二十六年》

釋義：有所依仗，甚麼也不怕，常用來形容那些倚仗勢力而胡作非為的人。恃，倚仗、憑藉。

近義：肆無忌憚　　**反義：**孤立無援

210. 有備無患

典故：春秋時候，<u>晉國</u>是一個大國。有一次，<u>晉國</u>解救了<u>鄭國</u>，<u>鄭國</u>為表示感謝，給<u>晉國</u>送來了兵車、樂器、歌女等許多禮物。<u>晉</u>君把一部份禮物賞賜給大臣<u>魏絳</u>。<u>魏絳</u>不肯接受，並勸告<u>晉</u>君說：「常言說得好，在安穩的時候，要考慮到會有危險發生；如果能這樣考慮，就會隨時有所準備；有了這種經常性的準備工作，就可避免禍患。」<u>晉</u>君認為<u>魏絳</u>的話有道理，就接受了他的意見。

出處：見《左傳・襄公十一年》

釋義：事先有準備，就可以避免災禍。備，準備、防範；患，禍患、災禍。

近義：未雨綢繆／防患未然　　**反義：**臨渴掘井／亡羊補牢

211. 有志竟成

典故：東漢的開國功臣耿弇，在漢光武帝劉秀還未起兵的時
候，就向他提出奪取天下的建議。一次，當耿弇揮軍攻下
臨淄、天下即將大定的時候，光武帝親自到前線慰勞軍
隊，他誇獎耿弇說：「以前你提出爭天下的建議，我們總
以為這是很不容易辦到的；現在終於完成了這個偉大的事
業，真是有志者事竟成啊！」

出處：見《後漢書・耿弇傳》

釋義：有志氣的人，事情終於能成功。竟，終於、終究。

近義：務求必得　　**反義**：志大才疏

212. 汗馬功勞

典故：漢高祖劉邦建國後，封蕭何為侯，並拜他為丞相，地位
極為尊崇。有些功臣不服氣，說：「我們拚死拚活地打
仗，而蕭何只會出出計謀，未曾有汗馬之勞，為甚麼他的
封賞反而在我們之上？」劉邦說：「大家見過打獵嗎？你
們只是像一群追捕野獸的獵狗，而蕭何正是指揮你們的獵
人，他在戰場上立下的功勞，實在比你們大得多。」

出處：見《史記・蕭相國世家》

釋義：原指在戰場上立下的功勞；現在也指在工作上成績突出，
貢獻很大。汗馬，在征戰中累得出汗的馬。

近義：豐功偉績/勞苦功高　　**反義**：功薄蟬翼

213. 汗流浹背

典故：東漢獻帝時，大權落入曹操手中。曹操為了鞏固個人的權勢地位，大肆殺害獻帝的親信，獻帝內心對他極為痛恨。有一次，曹操去見獻帝，獻帝就硬著頭皮去告誡他說：「你願意輔助我，就忠厚一些；不願意輔助我，那就離開。」曹操只好低著頭退出去。這時，獻帝又命令衛士列隊，手執利刃，挾持著他。曹操從兵刃之下走了出來，回顧左右，汗流浹背。

出處：見《後漢書‧伏皇后紀》

釋義：汗流下來，濕透了背上的衣服。原形容極度惶恐或異常慚愧，現多用來形容出汗很多，濕透了脊背。浹，濕透。

近義：汗不敢出/揮汗如雨

214. 守株待兔

典故：古時候，有個農夫在田裏耕作，突然在他身後竄出一隻野兔來，不小心撞死在樹根上。農夫連忙把兔子拾起，高高興興地回家去。從此，他天天守在這棵樹的旁邊，田也不耕，只等著撿兔子。可是，日子一天天過去了。他甚麼也沒有等到，田地卻長滿了野草。

出處：見《韓非子‧五蠹》

釋義：比喻不知變通或妄想不經努力而僥倖得到成功。株，樹樁子。

近義：刻舟求劍/緣木求魚　　**反義**：通權達變

215. 守望相助

典故：孟子是戰國時代的儒家大師，在土地制度方面，他主張恢
復井田制。其辦法是：每一方里的土地，依「井」字形劃
分為九塊，每塊一百畝，每井九百畝；當中一塊作公田，
由八家合耕，作為力役地租；四周八塊為私田，分給八家
耕作；八家要先把公田耕種完畢，再耕種私田。孟子又要
求同耕一井田的八家，彼此要和睦相處，守望相助。

出處：見《孟子・滕文公上》

釋義：鄰里街坊之間，互相照料，互相幫助，以對付來犯的敵人
或其他災患。

近義：同舟共濟/同心協力　　**反義：**不相往來/不相為謀

216. 名落孫山

典故：宋代有個名叫孫山的讀書人，與同鄉一個同學一起應試，
結果他被錄取為舉人，但排名最末。孫山先回家，那個同
鄉的父親來探問自己的兒子考得怎樣，他不好意思直言，
便說：「解名盡處是孫山，賢郎更在孫山外。」意思是說，
孫山是榜上最後一名，而你兒子的名字卻在孫山名字之後
哩。

出處：見范公偁《過庭錄》

釋義：比喻考試落第，榜上無名，也比喻選拔時未被錄取。

近義：榜上無名　　**反義：**名列前茅/鰲頭獨佔

217. 名列前茅

典故： 春秋時代，有一次，楚國攻打鄭國，鄭國向晉國求救。晉國派荀林父率兵救鄭，但晉軍未至，鄭國已向楚軍屈服。荀林父主張退兵，不追擊楚軍，召集部下將領相商，副將士會表示贊成說：楚軍「前茅慮無，中權後勁」，意思是，楚軍的前鋒戒備森嚴，中軍指揮得當，後軍實力強勁，因此晉軍撤退是正確的。

出處： 見《左傳‧宣公十二年》

釋義： 在考試或比賽中成績優異，名次排列在前面。茅，這裏指一種用茅草做的信號旗；前茅，行軍時手拿信號旗走在隊伍前面的人，借指前鋒。

近義： 首屈一指/數一數二　　**反義：** 名落孫山

218. 各得其所

典故： 春秋時候，鄭國有個大臣叫子產。一次，有人送了一條活鮮鮮的魚給他。子產不忍殺生，叫管池子的人把牠養在池塘裏。管池子的人口頭上應承，暗地裏卻偷偷地把魚煮來吃了。那人還編了一段謊話騙子產說：「我把魚放到池裏去，牠一會兒便搖頭擺尾地游走了。」子產信以為真，連聲說：「牠終於到了牠想去的地方！」

出處： 見《孟子‧萬章篇》

釋義： 表示各自得到適當的安置，或形容各自得到所需求的東西。

近義： 各式其式　　**反義：** 陰差陽錯

219. 各自為政

典故： 春秋時候，鄭國出兵攻打宋國，宋國以華元為主帥，率軍
迎戰。華元為了鼓舞士氣，殺羊犒勞將士，可在分發羊肉
時把他的車夫羊斟忘了，羊斟懷恨在心。兩軍交戰時，羊
斟對華元說：「疇昔之羊，子為政；今日之事，我為政。」
意思是說，以往分羊肉的事，由你下令行事；今天駕車的
事，卻由我作主了。羊斟說完後，就故意將戰車駕到鄭軍
陣地上去。結果，華元被鄭軍活捉，宋軍慘敗。

出處： 見《左傳・宣公二年》

釋義： 各自按照自己的想法行事，各搞各的一套，不顧全局，互
不配合。為政，處理政務，泛指處理事務。

近義： 各行其是／各自為戰　　　**反義：** 通力合作／同心協力

220. 安步當車

典故： 戰國時候，齊國有一位學者，名叫顏斶，過著隱居的生
活。齊宣王仰慕顏斶的名聲，把他請到王宮，要拜他為
師，每天給他食肉坐車，安享榮華富貴。可是顏斶卻說：
「我吃不起肉，可以把吃飯的時間推遲一些，餓些才吃，
更有滋味，便好比吃肉一樣了；沒有車坐，步行時走得從
容自在一些，也就好比坐車了。」說完之後，就拜辭齊王
回家，繼續他的隱居生活。

出處： 見《戰國策・齊策》

釋義： 從容不迫地步行，有如乘車一樣舒服，形容散步慢走的樂
趣。安，安詳，不慌不忙；步，步行；當，當作。

近義： 從容不迫

221. 安居樂業

典故： 老子是春秋 戰國時代道家學說的創始人。他宣揚「小國寡民」的社會理想，希望國家小小的，老百姓也不多，在每一個國度裏，經濟上可以自供自給，大家都能豐衣足食，各自安居樂業，不需要互相交流，互相往來。老子認為，如果社會能達到這樣的境界，就是天下大治了。

出處： 見《老子》

釋義： 形容生活安定，工作愉快。居，居住；業，工作。

近義： 豐衣足食/國泰民安　　**反義：** 流離失所/民不聊生

222. 安如泰山

典故： 西漢 景帝時，吳王 劉濞準備起兵造反，他的屬下枚乘上書諫阻。枚乘在書中說：如大王一定要為所欲為，就會「危於累卵」；而如果改變主意，則會「安於泰山」。可惜吳王不聽從他的勸告，一意孤行，聯合其化劉氏同姓王，發起叛亂，是為「吳 楚七國之亂」；景帝派兵平亂，劉濞終於兵敗被殺。

出處： 見《漢書·枚乘傳》

釋義： 像泰山一樣安穩，不可動搖。泰山，在今山東省 泰安縣境內，山勢雄偉，號稱「東嶽」。

近義： 安如磐石　　**反義：** 危如累卵

223. 妄自尊大

典故：東漢 光武帝 劉秀即位時，天下尚未統一，群雄各據一
方。這時，割據隴西的隗囂派部將馬援拜訪成都的公孫
術，尋求合作對付劉秀的途徑。馬援與公孫術原是同鄉好
友，以為見面時一定會握手言歡，暢敘離情，誰知公孫術
卻擺出皇帝的架子，高坐殿上，要馬援以君臣的禮儀相
見。馬援回報隗囂說：「公孫術好比井底之蛙，妄自尊
大，不如投靠劉秀。」

出處：見《後漢書‧馬援傳》

釋義：形容見識淺薄或勢力弱小而狂妄自大。

近義：夜朗自大　　　**反義：**妄自菲薄

224. 因勢利導

典故：戰國時候，魏國派大將龐涓率兵攻韓，韓國向齊求救，齊
國任命田忌為將、孫臏作軍師，領兵救韓。齊軍直奔魏國
首都。龐涓得知消息，立刻從韓國回師。這時孫臏對田忌
說：龐涓輕視我軍，可「因其勢而利導之」，用逐日減灶
的辦法，引誘他中計。田忌依計而行。龐涓揮軍跟蹤齊
軍，發現齊軍宿營造飯的鍋灶逐日減少，欣喜若狂，加速
追趕齊軍。一天夜晚，龐涓進入形勢險要的馬陵，受到齊
軍的伏擊，魏軍潰敗，龐涓拔劍自殺。這就是歷史上有名
的「馬陵之戰」。

出處：見《史記‧孫子吳起列傳》

釋義：順著事物發展的趨勢，加以引導、推動。因，順應；勢，
時勢、趨向。

近義：順時應勢　　　**反義：**逆流而上

225. 夸父逐日

典故： 傳說古代有個名叫夸父的人，他一心想追趕太陽，就朝著太陽的方向不停向前追去，追呀追呀，追了很久，還是追不到。夸父趕到太陽的入口處，感到非常口渴，便把黃河和渭河裏的水全部飲乾，但還覺得不夠，就想到北方的一個大湖裏去喝水。可惜夸父還沒有趕到這個大湖，就在路上渴死了。他遺下一支手杖，後來變成一片果樹，樹上長滿了果子，供路人解渴。

出處： 見《山海經‧海外北經》

釋義： 夸父追趕太陽；比喻人們征服大自然的決心。夸父，神話中的人物。

226. 危如累卵

典故： 春秋時候，晉靈公準備建造一座九層的高台，供自己享樂，並說誰敢勸阻，就砍誰的腦袋。大臣荀息來見晉靈公，說要表演個小玩意。他拿出十二隻棋子，擺在地上，再把九個雞蛋一個一個地放上去。晉靈公看到那搖搖欲墜的雞蛋，不禁大叫：「危險呀！」荀息說：「你要修建九層高台，一定會弄得民生困苦，國庫空虛，這比累起的雞蛋更危險。」晉靈公聽後，連忙下令停止築台。

出處： 見《史記‧范睢蔡澤列傳》

釋義： 危險得像堆起來的雞蛋一樣，極容易滾下打破，形容情況十分危險。危，危險；累，堆疊。

近義： 千鈞一髮／岌岌可危　　**反義：** 固若金湯／安如泰山

227. 多多益善

典故： 楚、漢相爭時，有一次，劉邦問韓信：「你看我能指揮多少
兵馬？」韓信說他最多只能帶領十萬兵。劉邦又問他說：
「那麼你自己能指揮多少兵馬呢？」韓信回答說：「對我
來說，那是愈多愈好啊。」劉邦聽了心中不服氣，臉有怒
色。韓信望一望劉邦，接著說：「大王你雖不善於帶兵，
卻善於帶將嘛。」劉邦聽了轉嗔為喜，笑逐顏開。

出處： 見《史記·淮陰侯列傳》

釋義： 愈多愈好。益，更加；善，好。

反義： 寧缺毋濫

228. 冰消瓦解

典故： 楊素是隋朝的開國功臣，非常善於用兵。隋朝初建立時，
他曾參與平定江南陳朝的軍事指揮。陳朝滅亡後，南方
一帶還有許多反對勢力，憑著地形險要繼續反抗。但由於
楊素善用謀略，常常出其不意，攻其不備，使各地割據勢
力像冰塊被熱力銷融、瓦片被擊碎分解一樣，完全崩潰
了。

出處： 見《隋書·楊素傳》

釋義： 冰塊融化，瓦片碎裂，比喻事物崩潰分裂或完全消失。

近義： 土崩瓦解／煙消雲散　　　**反義：** 堅如磐石／固若金湯

229. 江郎才盡

典故：南北朝時的南梁，有一位文學家，名叫江淹。一天晚上，他夢見前代的文學家郭璞對他說：「我有一支筆在你身上已有多年，現在可以還給我了吧！」江淹探探懷中，果然有一支五色彩筆，便拿給了他。自此之後，江淹的文思大不如前，文章寫得不好了，詩賦也寫得不美了。當時，世人紛紛傳說：「江郎才盡！」

出處：見鍾嶸《詩品》

釋義：江郎的才氣已經用盡了，比喻文思減退。江郎，即江淹。

近義：黔驢技窮　　**反義：**妙思泉湧

230. 休戚相關

典故：春秋時候，晉國的公子姬周流落單國，做了單襄公的家臣。他雖然身在異邦，但對晉國仍十分關心，聽到晉國有可喜的事，便滿心高興；有值得憂慮的事，便發起愁來。因此，單襄公十分敬重他，並對自己的兒子說：「姬周能夠為晉國而休戚，證明他是個不忘本的人，他將來一定會得到國人愛戴的，你要好好對待他。」後來姬周果然被接回晉國當了國君。

出處：見《國語・晉語》

釋義：彼此之間的憂樂、禍福都互相關聯，形容利害關係密切。休，歡樂；戚，憂愁。

近義：休戚與共／息息相關　　**反義：**毫不相干

231. 合浦珠還

典故： 相傳東漢時的合浦郡（在今廣東西部），盛產珍珠，後來由於官吏貪污舞弊，不斷強迫郡民採珠，以致珠蚌都離開合浦，遷到其他地方去，百姓生活變得十分困苦。後來朝廷把貪官污吏革職，改派一位清廉的官員孟嘗為合浦太守。孟嘗關心百姓疾苦，注意改善民生，不到一年，珠蚌竟然紛紛回到合浦來，百姓生活也漸漸好起來了。

出處： 見《後漢書‧孟嘗傳》

釋義： 合浦一帶產珠的蚌離開後又再回來；比喻去而復返或失而復得。

近義： 失而復得　　**反義：** 一去不返/泥牛入海

232. 扣盤捫燭

典故： 宋代的文學家蘇軾，寫過一篇文章，題為《日喻》，說明觀察事物，不能以偏概全。文中說，有一個瞎子，聽說太陽的形狀像個銅盤，他敲了敲銅盤，記著它的響聲，隨後便以為寺院的鐘聲就是太陽發出的。他又聽說太陽和蠟燭一樣會發光，於是他摸摸蠟燭，記著它的形狀，後來他拿到一件形似蠟燭的樂器，便以為那就是太陽。

出處： 見《東坡七集》

釋義： 比喻對事物的認識片面，不正確。扣，敲擊；捫，撫摸。

近義： 盲人摸象/以偏概全　　**反義：** 瞭如指掌/一清二楚

【七畫】

233. 曲高和寡

典故：宋玉是戰國時代楚國的文學家，也是楚襄王的大臣。有一
次，楚襄王聽說有人議論宋玉的品行不好，就把他召來問
個究竟。宋玉靈機一動，說：「在我國的都城中，有人唱
楚地民歌《下里巴人》，跟著唱的有數千人；可當有人唱
曲調高雅的《陽春白雪》時，跟著唱的卻只有數十人。」
宋玉略停了一下，又接著說：「這就叫做曲子的格調愈高
雅，能跟著唱的人就愈少。哪些凡夫俗子，怎能理解宋玉
的高品潔行呢？」楚襄王聽了，也就不再追究了。

出處：見《昭明文選·宋玉對楚王問》

釋義：樂曲的格調愈高雅，能跟著唱的人就愈少，比喻知音難
尋；現在多用來比喻言論過於艱深或作品不夠通俗，能共
鳴的人很少。曲，曲調；和，跟著唱。

反義：雅俗共賞

234. 兵不血刃

典故：漢末三國之際，劉備進攻西川，派張飛先取巴郡，再取
雒城。張飛用計捉住了巴郡守將嚴顏，而以禮相待，使嚴
顏誠心降服。嚴顏為報答張飛的知遇之恩，便說：「從巴
郡到雒城，大小關卡三十多個，守軍都是屬於我管轄的，
我可以叫他們全部歸降。」結果，張飛順利進軍雒城，沒
有遇到甚麼阻撓，兵不血刃。

出處：見《三國演義》第六十三回

釋義：形容不用經過流血作戰，就能取得勝利；也用來比喻在競
賽中不戰而勝。兵，武器；刃，刀鋒。

近義：不戰而勝　　**反義：**浴血苦戰

235. 兵不厭詐

典故：春秋時候，晉國與楚國在城濮（今山東鄄城西南）交戰。
戰爭開始前，晉文公問大臣狐偃說：「楚國兵多，我國兵
少，如何才能取勝呢？」狐偃答道：「喜歡禮物的國君，
不會厭惡禮品的精美；喜歡打仗的國君，也不會嫌棄計謀
的詭詐。主上也用詭詐好了。」晉文公採納狐偃的建議，
終於用計戰勝了楚軍。

出處：見《呂氏春秋》

釋義：指揮打仗，應儘量用計迷惑敵人，使敵方作出錯誤的判
斷。厭，厭惡、嫌棄；詐，欺騙、假裝。

近義：出奇制勝　　**反義**：宋襄之仁

236. 初出茅廬

典故：漢末三國之際，劉備三顧茅廬，請諸葛亮出山相助；諸
葛亮終於答應劉備的邀請，離開茅廬，做了劉備的軍師。
諸葛亮初到劉備軍中時，正逢曹操派十萬大軍來進攻，當
時劉備軍力薄弱，形勢危急。諸葛亮利用曹軍的驕傲輕敵
情緒，在博望坡打了個大勝仗，這是諸葛亮初出茅廬時立
下的第一個戰功。

出處：見《三國演義》第三十九回

釋義：原來是說諸葛亮初出茅廬就打了勝仗，後來用以比喻剛到
社會做事，缺乏經驗。

近義：入世未深／少不更事　　**反義**：老謀深算／老馬識途

237. 車水馬龍

典故：漢章帝時，皇太后馬氏是東漢初年名將馬援的女兒。馬家既是功臣之後，又是外戚，一門十分顯赫。一次，章帝打算再給幾位舅父加官晉爵，馬太后阻止説：「我不久前回家，看見你的舅父都十分威風，拜候請安的客人，來來往往，『車如流水，馬如游龍』，熱鬧非常。如果你還給他們封賞，那就更加不得了啦！」

出處：見《後漢書‧馬后記》

釋義：車輛絡繹不絕如同流水，馬兒排成一條長龍；形容車馬很多，來往不絕，一派繁華熱鬧的景象。

近義：熙來攘往/絡繹不絕　　**反義：**門庭冷落/門可羅雀

238. 車載斗量

典故：三國時候，吳國派遣大臣趙咨出使魏國。魏文帝曹丕接見趙咨時，態度傲慢，盛氣凌人，不料趙咨對答如流，言辭得體，曹丕不禁心中暗暗佩服，客氣地問道：「像你這樣的人才，吳國有多少呢？」趙咨回答説：「聰明能幹的有八九十人，而像我這樣的，則是車載斗量，多得數不勝數。」

出處：見《三國志‧吳書‧吳主權傳》

釋義：用車來裝，用斗來量，形容數量很多。斗，一種量器，十升為一斗。

近義：不可勝數/多如牛毛　　**反義：**鳳毛麟角/寥若晨星

239. 作法自斃

典故： 戰國時候，商鞅得到秦孝公的重用，為秦國主持變法，制
定了嚴厲的法律。秦孝公死後，秦惠文王繼位，有人誣告
商鞅謀反。秦惠文王本來就對商鞅不滿，便下令緝捕他。
商鞅聽到消息後，帶著家屬逃走。天黑了，想投宿旅店，
不料店主人都不敢收留，對他說道：「留宿身份不明的旅
客是違法的，這是商君（商鞅的封號）制定的法令呀。」
商鞅無處棲身，仰天長歎說：「想不到我自己制定的法
律，竟然害了我自己。」

出處： 見《史記‧商君列傳》

釋義： 自己立法而自己受害，比喻自作自受。斃，殘害。

近義： 自作自受／作繭自縛

240. 作壁上觀

典故： 秦朝末年，六國叛秦，趙軍被秦軍圍困，項羽率領楚軍與
各路諸侯合力營救。當楚軍攻擊秦軍時，諸侯的軍隊都畏
縮不前，不敢參戰，只在營壘上觀勝負；而楚軍則以一當
十，大敗秦軍。經此一戰，諸侯懾於項羽的軍威，便奉楚
為盟主。

出處： 見《史記‧項羽本紀》

釋義： 人家在交戰，自己卻站在營壘上旁觀；比喻置身事外，坐
觀成敗。壁，營壘。

近義： 袖手旁觀／坐觀成敗　　**反義：** 拔刀相助／置身其中

241. 呆若木雞

典故：古時候，有一個叫紀渻子的，他飼養鬥雞的方法與眾不同。一般人都把雞訓練得好勇鬥狠，紀渻子卻把鬥雞訓練得十分鎮定，像隻木雞一般，表面上看來呆呆板板。紀渻子解釋說：「如果我的鬥雞能夠保持這種狀態，其他的雞便不敢應戰，一見到我的雞便會回頭走。」

出處：見《莊子‧達生》

釋義：呆得像木頭製造的雞一樣。原指鬥雞鎮定自若的最佳狀態，後用以形容因恐懼或驚訝而發愣的樣子。

近義：目瞪口呆／泥塑木雕　　**反義：**玲瓏剔透／生龍活虎

242. 返老還童

典故：傳說漢朝時候，淮南王劉安，喜愛學道求仙，盼望得到長生不老的法術。一天，有八個老公公前來求見，說他們有「卻老之術」，願意當面奉獻。守門的人進去通報，劉安說：「他們自己都已這麼老了，哪裏會有甚麼『卻老之術』，分明是欺騙。」叫守門的人把他們趕走。老公公們笑道：「淮南王嫌我們年老嗎？好吧……」說時遲，那時快，八個老公公一下子全變成了小童。

出處：見《神仙傳》

釋義：形容老年人恢復青春。

近義：長生不老／青春永茁　　**反義：**未老先衰／青春不再

243. 芒刺在背

典故： 漢宣帝時，外戚、大司馬大將軍領尚書事霍光為三朝重臣，地位高、權力大，又很傲慢，連宣帝也怕他。有一次，宣帝要去拜祭祖先，霍光為他保駕，二人同乘一輛車，宣帝心情緊張，感到如有芒刺扎在背上一樣，極為難受。

出處： 見《漢書·霍光傳》

釋義： 如被細小的刺扎在背上，形容因為惶恐或有心事而坐立不安。芒刺，細小的刺。

近義： 如坐針氈　　**反義：** 泰然自若

244. 忘年之交

典故： 南北朝時候，詩人范雲德高望重，且有知人之明。據說，另一位詩人何遜在二十歲時，被薦舉為秀才；而當時范雲已負有盛名，而且年紀比他大很多，但他見到何遜撰寫的對策文章，大為讚賞，便忘記了彼此的年齡差距，結為好朋友。

出處： 見《南史·何遜傳》

釋義： 忘掉年紀的差別而結為好朋友，指年齡、輩分不相當而交情深厚的朋友。

近義： 忘年之友　　**反義：** 論資排輩

245. 別開生面

典故：唐太宗時，宮中的凌煙閣懸掛了廿四幅唐朝開國功臣的畫像。到了唐玄宗時，這些畫像的顏色都變得暗淡了。於是，玄宗命當時的著名畫家曹霸把這些畫像重新設色描繪，使廿四位功臣展現新的面貌。大詩人杜甫特地為此寫了一首詩，稱讚說：「凌煙功臣少顏色，將軍下筆開生面。」

出處：見《杜工部集・丹青引贈曹將軍霸》

釋義：另外開創新的局面或另外創立新的風格、樣式。開，開闢；生面，新風格、新面目。

近義：別創一格/獨闢蹊徑　　**反義：**因循守舊/千篇一律

246. 何足掛齒

典故：秦朝末年，陳勝、吳廣揭竿起義，四方響應。消息傳到朝廷，許多大臣都建議秦二世派兵討伐，唯獨孫叔通卻說：「當今天下太平，皇上英明，那伙鬧事的兵卒，不過是鼠竊狗盜而已，哪裏值得掛在齒牙間呢？」秦二世聽了，非常歡喜，重賞孫叔通，而把那些主張舉兵討伐的大臣抓起來關進監牢。原來，孫叔通機敏過人，他深明秦二世昏庸殘暴，不分是非黑白，因此故意這樣說，以解脫自己。

出處：見《史記・劉敬孫叔通列傳》

釋義：事情很小，不值一提。

反義：銘刻於心/耿耿於懷

247. 杞人憂天

典故：古時候，<u>杞國</u>有個人，整天擔心天會塌下來，地會陷下
去，自己將無處安身，以致吃不下飯，睡不著覺，甚至病
了起來。他的一位朋友知道了，耐心地開解他說：「天是
堆積起來的氣體，不會塌下來；地是堆積起來的土塊，也
不會陷下去。」終於，這個杞國人明白自己的擔心是多餘
的，病也自然痊癒了。

出處：見《列子・天瑞》

釋義：比喻不必要或無根據的憂慮。

近義：庸人自擾　　**反義**：高枕無憂

248. 身無長物

典故：<u>東晉</u>時候，有一個名叫<u>王恭</u>的人，生活十分儉樸。有一
次，他的好朋友<u>王忱</u>來探望他。<u>王忱</u>很喜歡<u>王恭</u>座下的簟
蓆，<u>王恭</u>便把蓆子送了給他。過了幾天，<u>王忱</u>又去探望<u>王
恭</u>，卻見到王恭坐在地上，便問他為甚麼不舖簟蓆坐。<u>王
恭</u>說：「我的蓆子已送了給你，身邊便沒有多餘的東西
了；但你不用介意，因我喜歡簡單樸素的生活。」

出處：見《世說新語・德行》

釋義：形容生活十分窮困，除一身必不可少的用品外，沒有一樣
是多餘的。長，多餘的。

近義：家徒四壁/兩袖清風　　**反義**：腰纏萬貫

249. 身先士卒

典故： 漢末三國之際，有一個名叫曹彰的，是曹操的第二個兒子。曹彰善於騎馬射箭，勇武過人，卻不愛讀書。有一次，曹操問他將來準備幹甚麼，曹彰回答說想當將軍。曹操緊接著問：「你要怎樣當一個將軍呢？」曹彰毫不遲疑地回答道：「衝鋒陷陣，身先士卒。」曹操聽後，笑了一笑，不再說甚麼。

出處： 見《三國演義》第七十二回

釋義： 原指作戰時將帥衝殺在士卒前面，也指工作時領導者走在下屬的前面。

近義： 為人表率　　**反義：** 臨陣先逃

250. 吳下阿蒙

典故： 三國時候，吳國的大將呂蒙，本是士兵出身，不大愛讀書，沒有甚麼學識，吳王孫權便引用歷史上成大事的人物用功讀書的事例，勸導他多加學習。呂蒙深受啟發，於是發奮讀書。後來，他與大都督魯肅共同擬定作戰方案，魯肅大為佩服，說：「我一直以為你只懂武藝，現在卻學識廣博，已不是以前的吳下阿蒙了。」

出處： 見《三國志·吳書·呂蒙傳》

釋義： 比喻人學識尚淺。吳下，長江下游一帶，三國時是吳國的地方；阿蒙，即吳國的大將呂蒙。

近義： 年少無知/少不更事　　**反義：** 博學多聞/飽學之士

251. 囫圇吞棗

典故：傳說古時候有一個自作聰明的人，聽見人家說：「吃梨子對牙齒有益卻會損傷脾臟，吃棗子對脾臟有益卻會損傷牙齒。」自此之後，他吃梨子時只嚼爛而不咽下，吃棗子時卻不嚼爛而整個咽下，以為這樣做既對牙齒有益，又不會損害脾臟。他哪裏知道，梨子只嚼不吞，倒也沒甚麼問題，可囫圇吞棗，卻是有害無益的。

出處：見白珽《湛淵靜語》

釋義：把整個棗子吞咽下去，不加咀嚼，不辨滋味。比喻在學習上籠統含混，不加分析，沒有理解。囫圇，渾然一體，形容整個對象。

近義：生吞活剝　　**反義：**融會貫通

252. 含沙射影

典故：傳說古時候，出現過一種奇形怪狀的動物，樣子像鱉，卻只有三條腿，人們稱牠為「蜮」或「鬼蜮」。蜮出沒於池塘、湖澤、江河、水田之中，隱形於水草之間，當有人走近水邊時，牠就會含上一口沙子，朝著人影噴射過去。如果被牠射中，人就會生瘡得病，甚至死亡。

出處：見干寶《搜神記》

釋義：比喻暗地裏攻擊、中傷或陷害別人。

近義：暗箭傷人　　**反義：**明刀明槍

253. 完璧歸趙

典故：戰國時代，秦王聽說趙王得到了一方寶玉，名叫「和氏璧」，就寫信給趙王，說要用十五座城池來交換。趙王明知秦王只是想騙取寶玉，並不是真的要用城池來交換；但又擔心不答應，秦王會派兵來進攻。因此猶豫不決，心中發愁。趙國的一個大臣，推薦他的僕人藺相如來見趙王。藺相如表示願意帶著和氏璧出使秦國，並對趙王說：「如果秦國真的不割讓城池來交換，我一定會把寶玉完好無缺地交還大王。」藺相如到秦國，當面揭穿秦王「以城換璧」的騙局，並把和氏璧安全地送回趙國，出色地完成了使命。

出處：見《史記·廉頗藺相如列傳》

釋義：比喻物歸原主，完好無損。完，完好；璧，圓形而中間有孔的美玉；歸，歸還、奉還。

反義：泥牛入海

254. 走馬看花

典故：古代的讀書人，參加科舉考試，如能考中，便可做官，因而喜悅之情，洋溢於詩歌文章中。唐代詩人孟郊有兩句詩，抒發了這種中舉後的心情：「春風得意馬蹄疾，一日看盡長安花。」宋代詩人楊萬里亦有兩句詩，表現這種得意的心境：「走馬看花拂綠楊，曲江同賞牡丹香」。

出處：見孟郊《登科後》/楊萬里《和同年李子西通判》

釋義：騎在奔跑著的馬上看花。本是形容得意、愉快的心情；現多用來比喻匆忙粗略地觀看。走馬，騎著馬奔跑。

近義：浮光掠影/蜻蜓點水　　　**反義**：下馬看花/觀察入微

255. 伯仲之間

典故： 唐代的偉大詩人杜甫，對諸葛亮推崇備至。他有一首詩，稱讚諸葛亮名垂千古，頌揚其雄才偉略，歎惜其壯志未酬。其中有這樣兩句：「伯仲之間見伊呂，指揮若定失蕭曹。」意思是說：諸葛亮安邦定國的才略，足與古代名賢伊尹、呂尚並肩媲美，而他指揮若定的風度，則使漢初開國功臣蕭何、曹參為之黯然失色。

出處： 見《杜工部集·詠懷古蹟五首》

釋義： 兄弟之間，比喻兩者相差不遠、不相上下。伯仲，兄弟之間的排行次序，伯是老大，仲是老二。

近義： 不分軒輊/勢均力敵　　**反義：** 天上人間/天壤之別

256. 利令智昏

典故： 戰國時代，秦國大將白起率軍進攻韓國，韓國上黨地區的守將馮亭準備歸附趙國，希圖得到趙王的保護。趙王徵求大臣的意見。平陽君趙豹認為不應接受，以免節外生枝；平原君趙勝卻主張接受，認為不接受太可惜。於是趙王便派平原君去接收這片土地。可這樣一來，把秦國激怒了，白起便引軍猛攻趙國。結果，趙國的四十萬大軍在長平之戰中全軍覆沒。太史公司馬遷評論這件事，直指平原君是利令智昏，導致趙國的大災難。

出處： 見《史記·平原君虞卿列傳》

釋義： 因貪圖利益而使頭腦發昏，失去理智。令，使得；智，理智；昏，迷糊不清。

近義： 利慾熏心/財迷心竅　　**反義：** 見利思義

257. 投筆從戎

典故：東漢時候，班超通西域，與西漢張騫一樣，名垂青史。不過，班超並不是從小就習武的，他年青時隨哥哥班固到洛陽，為官府抄寫文書。日子久了，他感到這種工作沒有出息，甚為厭倦。有一天，他寫著寫著，突然把筆擲在地上，歎了一口氣說：「男子漢大丈夫應當學張騫的樣子，到邊遠的地方去建功立業，怎能這樣長期埋頭在筆硯之中呢？」隨即，他便從軍去了。終於，班超成為一代名將，為國家建立了不朽的功勳。

出處：見《後漢書‧班超傳》

釋義：把筆放下，從軍去了，比喻棄文就武，報效國家。戎，軍旅、兵士的代稱；從戎，即從軍、參軍。

反義：老死文場

258. 投鞭斷流

典故：東晉十六國時期，前秦苻堅統一了北方，意驕志滿，企圖吞併南方的東晉。他的一些大臣勸阻說，東晉據有長江天險，又有名將帶兵，不宜輕舉妄動。苻堅不以為然地說：「我有這麼多的軍隊，只要把騎兵的馬鞭投到長江中，就可以把江水截斷。長江天險又算得了甚麼呢？」他不聽勸阻，親自帶領九十萬大軍南下侵晉，發生了歷史上著名的淝水之戰。

出處：見《晉書‧苻堅載記》

釋義：形容兵馬眾多，兵力強盛，不難跨越江河天險，克敵制勝。

近義：兵多將廣　　**反義：**兵微將寡

259. 杏林春滿

典故：傳說在三國時候，吳國有一個醫生名叫董奉。他住在盧山，為人治病，不收診金；對治癒的病人，只求為他種杏樹數株。沒過幾年，董奉竟得杏樹十餘萬株，蔚然成林，人們把它稱為「董仙杏林」。他就在林中蓋了一間草屋，住在草屋裏。每年杏子成熟時，林中都有老虎為董奉守護，嚇走偷杏的人。董奉則用杏去換米，來賑濟貧苦的人。後來，董奉成了神仙，飛入雲中去了。

出處：見《神仙傳・董奉》

釋義：讚頌醫生醫德好、醫術高的用語。

近義：譽滿杏林/妙手回春

260. 助紂為虐

典故：商朝的末代君主紂王，極為暴虐。王叔比干，忠言勸諫，被紂王剖腹挖心；九侯不肯把女兒送入宮中給紂王作妃子，被剁成肉醬。西伯姬昌聽到這些消息，不敢作聲，只是歎了口氣，不料被紂王的寵臣崇侯虎知道了，崇侯虎馬上告密，紂王便把西伯抓來囚禁在監獄中。崇侯虎還為紂王出了許多壞主意，助紂為虐。

出處：見《封神演義》

釋義：幫助紂王做暴虐的事，比喻幫助壞人做壞事。紂，即商紂王，是一個暴君。

近義：為虎作倀/為虎傅翼　　　　**反義：**除暴安良/警惡鋤奸

261. 近朱者赤

典故： 北宋時候，文壇領袖歐陽修出任潁州知州，呂公著在那裏當通判（副官）。有一次，名臣范仲淹經過潁州，拜訪了歐陽修，同時呂公著也在座。范仲淹對呂公著說：「近朱者赤，你在永叔（歐陽修的字）這裏，正是向他學習的好機會，應當趁此多練練筆墨。」

出處： 見《朱子語類》

釋義： 經常與朱接近，就會漸漸變為紅色，比喻一個人生活在好的環境裏，便會受到好的影響。朱，一種顏料；赤，紅色。

近義： 聲和響清／形正影直　　**反義：** 近墨者黑／近墨心緇

262. 改過自新

典故： 西漢時候，有個醫生，名叫淳于意，醫術相當高明，一些奇難雜症，他都能治好。但有人告發他犯法，必須施以割鼻斷足的肉刑。他的女兒緹縈，上書向皇帝求情說：「人死不會復生，受肉刑割去鼻子、砍掉手腳也不會再長出來，即使想悔過自新，也不可能了。我願意為官府當奴婢，來替父親贖罪，好讓他有個重新做人的機會。」皇帝為緹縈的上書所感動，就免了淳于意的肉刑。

出處： 見《史記·扁鵲倉公列傳》

釋義： 知道自己的過錯，便決心悔改，重新做人。過，過失、錯誤。

近義： 悔過自新／洗心革面　　**反義：** 執迷不悟／怙惡不悛

263. 步步為營

典故：漢末三國之際，劉備與曹操爭奪漢中之地。曹操命大將夏侯淵進兵，夏侯淵的部將夏侯尚耀武揚威。劉備的大將黃忠見曹軍兵鋒凌厲，便向軍師法正問計。法正建議：「激勵士卒，拔寨前進，步步為營，誘（夏侯）淵來戰而擒之。」黃忠依計而行，果然先活捉了夏侯尚，接著又擊斃了夏侯淵。曹軍潰敗，終於退出漢中。

出處：見《三國演義》第七十一回

釋義：形容進軍謹慎，有時也用來比喻行事謹慎穩妥。

近義：穩紮穩打　　**反義：**貪功冒進

264. 志在四方

典故：戰國時候，孔子的第五世孫孔穿，到趙國遊歷，與鄒文、季節兩人交上朋友。不久，孔穿要回魯國，鄒文與季節一路相送，送了一程又一程，還是戀戀不捨，最後分手時，兩人更淚流滿臉。但孔穿卻只是輕輕一揖，非常洒脫。孔穿的隨從誤以為他是不近人情，孔穿解釋說：人生在世，應有四方之志，那能與親戚朋友天天成群地聚居在一起呢？」

出處：見《孔叢子》

釋義：形容志尚高遠，很有抱負。

近義：志在千里　　**反義：**胸無大志

265. 更上層樓

典故：唐代詩人王之渙，寫了一首題為《登鸛雀樓》的詩。詩是這樣的：「白日依山盡，黃河入海流。欲窮千里目，更上一層樓。」前兩句寫登樓所望見的景色。後兩句承接前兩句的意思說，如果想開拓視野，就要再登上一層樓，立足於更高的位置。這兩句蘊含著站得高才能看得遠的深刻道理，傳誦千古。

出處：見《唐詩三百首》

釋義：比喻在原有的基礎上再提高一步。層，這裏即「一層」的意思，數字「一」省略。

近義：登高望遠　　**反義**：每況愈下

266. 冷冷清清

典故：李清照是宋代傑出的女詞人，晚年因為遭逢時勢的變遷，加上丈夫趙明誠病故，過著孤苦淒涼的生活。她寫了一首詞，題為《聲聲慢》，抒發空對秋閨的悲愴情懷。詞的一開首用了一連串的疊字：「尋尋覓覓，冷冷清清，淒淒慘慘切切。」詞人寫她在深秋清晨，一起身便百無聊賴，希望找到一點甚麼東西來填補自己的空虛寂寞，但尋覓無著，反而跌入更加淒清憂戚的氛圍中。

出處：見《漱玉詞》

釋義：形容環境的淒清或心情的悲涼。

近義：蕭條零落　　　**反義**：轟轟烈烈

【八畫】

267. 兩袖清風

典故： 明朝時候，官場腐敗，地方官吏每逢進京，都要向當地老百姓搜刮許多土特產作為貢品，獻給皇帝及朝中權貴，以求加官晉爵。有個巡撫名叫于謙，寫了一首詩，題為《入京》，抨擊這種不正之風，表明自己清廉自守的心志。詩中有這樣兩句：「清風兩袖朝天去，免得閭閻話短長。」意思是說，他每次進京時都一物不帶，兩隻衣袖只裝著清風，免得街談巷議說短道長。

出處： 見都穆《都公譚纂》

釋義： 稱譽為官廉潔，也用來形容生活十分貧困。

近義： 一介不取／身無長物　　**反義：** 誅求無己／腰纏萬貫

268. 兩敗俱傷

典故： 戰國時代，韓魏兩國交戰，秦惠王想插手，又拿不定主意。大臣陳軫對他說：「有一個勇士聽說兩隻老虎正在爭吃一條牛，就想拔劍去把老虎打死，旁人阻止他說：『兩隻老虎爭牛吃，必然會發生角鬥，等牠們互相咬傷了，你再去打也不遲。』結果，這個勇士贏得一舉打死兩隻老虎的美名。」秦王聽後，覺得很有道理，於是便等到韓國與魏國打得筋疲力盡時，才派兵攻打兩國，結果很容易便取勝了。

出處： 見《史記·張儀列傳》

釋義： 雙方互相爭鬥，結果誰也沒有得到好處，同樣受到傷害。

近義： 同歸於盡　　**反義：** 兩全其美

269. 取而代之

典故： 楚霸王項羽少年時代即胸懷大志。一次，秦始皇巡遊會稽，在渡錢塘江的時候，舟車儀仗浩浩蕩蕩，威風凜凜，觀看的人成千上萬。這時，項羽和叔父項梁，也夾雜在人群中，他忽然指著秦始皇說：「彼可取而代也。」意思是，秦始皇的權勢和地位，可以奪取過來並且代替他。項梁聽了，大吃一驚，連忙掩住項羽的嘴說：「不要亂講，這是要抄家滅族的！」但心中卻暗暗歡喜，認為項羽是一個奇才。

出處： 見《史記‧項羽本紀》

釋義： 原指奪取別人的地位而代替他，現多指一種事物代替另一種事物。取，奪取；代，代替。

近義： 新陳代謝　　**反義：** 陳陳相因

270. 兔死狗烹

典故： 春秋末期，越國的謀臣范蠡和文種，扶助越王勾踐與吳王夫差爭霸，反敗為勝，取得了霸主地位。范蠡了解勾踐的為人，只能共患難，不可同富貴，因此功成身退，辭官歸隱江湖，並寫信給文種，勸他離開越王，以免受害。信中有這樣的話：「飛鳥盡，良弓藏；狡兔死，走狗烹。」意思是說，飛鳥打完了，強力的彈弓就會被射手收藏起來；野兔打完了，忠心的獵犬就會被獵人宰掉煮吃。但文種沒有及早覺悟，不聽勸告，終於被越王威逼自殺。

出處： 見《史記‧越王勾踐世家》

釋義： 比喻開國功臣往往被皇帝貶謫，甚至殺害，也用來比喻替別人賣力做事，事成後即被拋棄。

近義： 鳥盡弓藏

271. 長路漫漫

典故： 屈原是中國古代的偉大詩人，戰國時楚人。曾輔佐楚懷
王，有志改革楚國的政治，但受到奸臣讒害，長期被放
逐。他寫了一篇辭賦，題為《離騷》，抒發他的政治理想
和為理想而獻身的精神，其中有這樣兩句：「路漫漫其修
遠兮，吾將上下而求索。」意思是說，道路是多麼漫長遼
遠啊，我將堅持不懈地去追求探索。

出處： 見劉向輯集《楚辭》

釋義： 道路漫長遼遠，比喻要達致理想的目標極不容易。

近義： 任重道遠　　**反義：** 一蹴而就

272. 直搗黃龍

典故： 南宋初年，岳飛所指揮的岳家軍，不斷打敗金兵，取得節
節勝利。有一次，岳家軍大破金國的主力騎兵「拐子馬」，
打了一個大勝仗。岳飛乘勢收復了許多失地，準備渡過黃
河，向北進擊，他激勵將士說：「我們要一直打到黃龍
府，摧毀金兵的老巢，然後與大家痛飲一餐！」可惜宰相
秦檜勾結金人，害死了岳飛，使抗金事業受到挫折。

出處： 見《宋史・岳飛傳》

釋義： 一直打到黃龍府；比喻直攻敵軍的大本營，搗毀敵方的根
據地。黃龍（府），金人的發祥地。

近義： 長驅直入　　**反義：** 節節敗退

273. 明目張膽

典故：唐朝時候，有一個監察官名叫韋思謙，為人正直，不畏權勢。一次，韋思謙發現宰相褚遂良有不法的行為，就向皇帝告發，於是褚遂良被降職。不久，褚遂良又恢復了官職，便進行報復，把韋思謙貶職。有人替韋思謙抱不平，他卻說：「身為監察官，必須明目張膽報效國家，怎能只求保住自己和妻子兒女的安全！」

出處：見《舊唐書・韋思謙傳》

釋義：本來是指鼓起勇氣、敢作敢為的意思；現在多用於貶義，形容毫無顧忌，公開作惡。

近義：膽大妄為／明火執仗　　**反義**：偷偷摸摸／鬼鬼祟祟

274. 孤苦伶仃

典故：西晉初年的李密，是一個孝子；晉武帝徵召他擔任官職，並催促他趕快進京。李密不敢不從，但又不願離開年老多病的祖母，就向晉武帝上了一篇《陳情表》，訴說自己自小父母雙亡，「孤苦伶仃」，幸得祖母養育成人；現今祖母年老體衰，實在不忍離開她進京。這篇文章寫得情深意切，晉武帝看後深受感動，就允准他暫免進京。

出處：參見「119・日薄西山」／《昭明文選》

釋義：形容孤單一個人，無依無靠。

近義：孤苦無依／形單影隻　　**反義**：五代同堂

275. 虎口餘生

典故： 宋朝時候，有個名叫朱泰的人，家裏很窮，靠上山砍柴來
維持生活，供養老母親。一天，朱泰在砍柴時，突然山上
跳出一隻猛虎，向他撲來，一口咬著他便走。朱泰大叫：
「天啊！我死倒不要緊，只可憐年老的母親啊。」朱泰這
一叫，同時拼命掙扎，老虎受驚，竟拋下他而走。朱泰保
得了生命，急忙逃回家去。鄉親們聽到消息，紛紛前來慰
問，都說朱泰是「虎口餘生」，十分幸運。

出處： 見《宋史》

釋義： 經歷極大的危險，幸而保住了性命。虎口，比喻十分危險
的境地。

近義： 脫離虎口　　**反義：** 自投羅網

276. 孤注一擲

典故： 宋真宗時，北方的遼國大舉入侵，宋室震動，許多大臣都
主張遷都避敵。宰相寇準力排眾議，主張抵抗，並請真宗
御駕親征。宋真宗駕臨澶洲，宋軍士氣大振，主動出擊，
大敗遼軍，遼國被迫退兵求和。從此，真宗對寇準更加信
任倚重。副宰相王欽若原為主和派代表，嫉妒寇準，乃向
真宗進讒說：寇準請皇上親臨前線，是把皇上當作「孤注」
來與敵方賭博；萬一不能取勝，皇上就很危險了。真宗聽
了之後，漸漸對寇準疏遠起來。

出處： 見《宋史・寇準傳》

釋義： 賭博時把所有賭本併為一注押上，以決最後輸贏；比喻在
危急時調動所有力量，作最後一次冒險。注，賭注，賭博
時所押的錢；擲，擲骰子。

近義： 背城借一/破釜沉舟　　**反義：** 穩紮穩打/穩操勝券

277. 夜朗自大

典故： 漢朝時候，西南地區有一個小國，叫做夜朗。夜朗國的領
土，只相當於漢的一個縣。有一次，漢朝派唐蒙為使者，
出訪夜朗。夜朗國王孤陋寡聞，當他見到漢朝使者時，竟
然不知天高地厚地問：「漢朝的領域與我夜朗國相比，究
竟誰大？」

出處： 見《史記・西南夷列傳》

釋義： 比喻妄自尊大，不知天高地厚。夜朗，古代國名，在中國
的西南部。

近義： 妄自尊大/目空一切　　**反義：** 自輕自賤/妄自菲薄

278. 奇貨可居

典故： 戰國時候，秦國的王子子楚在趙國做人質，受盡辱待；恰
巧有一位大商人呂不韋到趙國首都邯鄲做生意，他知道
後，便說：「這是可以囤積起來的奇貨啊！」言下之意，
是指子楚具有極大的利用價值。終於，在呂不韋的策劃
下，子楚回國繼承了秦國的王位，是為秦莊襄王，而呂不
韋則獲任為丞相。

出處： 見《史記・呂不韋列傳》

釋義： 把稀有的貨物囤積起來，等這種貨物價格升高時再出售；
比喻把某種事物當作資本以謀取暴利。居，囤積。

近義： 囤積居奇　　**反義：** 棄如敝帚

279. 東施效顰

典故：春秋時候，越國有一位美女，叫做西施（施原為姓氏）；據說住在她東邊村落的，則是一個醜女，叫東施。西施因為有胸口痛的毛病，經常在人面前捂著胸部，皺著眉頭，人人都覺得她這副病態楚楚可憐，分外嬌媚。東施見到這情形，也學西施那樣按著胸口，皺起眉頭。不料人們見到她時，都嚇得把門緊緊關閉，或遠遠避開。

出處：見《莊子·天運》

釋義：比喻不問具體情況，生搬硬套，胡亂模仿別人，效果適得其反。效，模仿、仿效；顰，皺眉。

近義：邯鄲學步／弄巧成拙　　**反義：**別開生面／另闢蹊徑

280. 東窗事發

典故：據說，南宋奸相秦檜謀害精忠報國的岳飛時，曾與妻子王氏在東窗下密謀。於是，便有一種傳說：秦檜遊西湖，在船上得病，被厲鬼斥責，說已把他的陰謀報告天廷；秦檜死後，鬼魂在地獄陰司受審，十分狼狽；他的妻子王氏為他做法事時，秦檜的魂魄便依託道士告訴妻子說：「在東窗密謀的事，已被揭發了。」

出處：見《西湖遊覽志餘》

釋義：指陰謀詭計或欺騙行為敗露。

近義：露出馬腳

281. 東山再起

典故：東晉時候，名士謝安，人品學問都很好，但只當過短時期的官，便隱居於東山，朝廷多次徵召，他都不肯出來。後來，一位名叫高崧的官員對他說：「你屢次不聽朝廷徵召，這樣對得起天下百姓嗎？」謝安感到慚愧，便離開東山，起而任職；後來官至宰相，對國家作出很大的貢獻。

出處：見《晉書・謝安傳》

釋義：比喻去職後再出來擔任要職，或失敗後重新再來。東山，地名，在今浙江省上虞縣境。

近義：捲土重來／重整旗鼓　　**反義：**隱姓埋名

282. 迎刃而解

典故：西晉初年，晉軍渡過長江，準備攻滅吳國。當時正是夏天，有人擔心會出現疫症，主張暫緩進攻。但將軍杜預卻說：「現在我們士氣高昂，好像破竹一樣，劈破竹節後，竹子便會順著刀刃而分開，不需再花氣力的了。」於是，杜預揮軍前進，各路晉軍水陸並發，順利地攻滅吳國。

出處：見《晉書・杜預傳》

釋義：比喻很輕易地解決問題，沒有甚麼阻礙。迎，碰上；刃，刀鋒；解，分開。

近義：輕而易舉／勢如破竹

283. 近水樓臺

典故:宋朝時候,名臣范仲淹鎮守錢塘,屬下賢能多被推薦升官,惟獨任職巡檢的蘇麟因在外公幹而沒有被列入推薦的名單內。蘇麟便寫了一首詩,表達自己因不在范仲淹左右而未獲舉薦的心情。其中兩句是:「近水樓臺先得月,向陽花木易為春。」范仲淹明白了蘇麟的用意,便也舉薦了他。

出處:見《清夜錄》

釋義:在靠近水邊的樓臺上,能最先見到月亮,比喻由於近便而獲得優先的機會。

近義:捷足先登/因勢利便　　**反義:**鞭長莫及

284. 門可羅雀

典故:西漢時候,下邽人翟公擔任廷尉時,來拜訪他的賓客多得在大門口列隊輪候;可當他罷官後,大門口卻冷落得可以設置羅網來捕雀。後來當他恢復了廷尉的官職時,大門口卻又擠滿了人。於是,翟公在大門上寫下嘲諷那些賓客的話:「一死一生,乃知交情;一貧一富,乃知交態;一貴一賤,交情可見。」並拒絕再與這些人交往。

出處:見《史記·汲鄭列傳》

釋義:可以在門口張網捕雀,形容門庭冷落,賓客稀少。

近義:門庭冷落/金鎖重門　　**反義:**門庭若市/車馬盈門

285. 門庭若市

典故：戰國時候，齊國大臣鄒忌從自己的切身經驗中，體會到齊王很容易受小人蒙蔽，只能聽到假話，難以聽到真話。於是，他勸告齊王說：「我們齊國土地廣，城市多，宮庭裏的女子和隨從沒有不順從大王的，朝廷裏的百官沒有不畏懼大王的，全國的老百姓沒有不有求於大王的，所以大王便無法聽到真話了。」齊王聽後，覺得很有道理，便下令獎賞所有向他進諫的人。命令一公佈，進諫的人很多，門庭若市。

出處：見《戰國策・齊策一》

釋義：形容來客很多，門前和院子裏都擠得滿滿的，就像集市一樣，十分熱鬧。庭，院子；市，集市。

近義：賓客如雲／車水馬龍　　**反義：**門可羅雀／門庭冷落

286. 歧路亡羊

典故：戰國時候，有一個思想家，名叫楊朱。有一次，他的鄰居把羊隻丟失了，帶了很多人四出尋找，可找了很久也找不到。楊朱知道後，便問他說：「為甚麼你帶了那麼多人去找，找了那麼久，還是沒把羊找到呢？」鄰居回答說：「因為岔路太多，所以不知道羊隻往哪兒跑。」楊朱聽後陷入沉思。他想，如果在做學問方面，東抓一把，西抓一把，不能把定方向，也會像在岔路上找羊一樣，一無所得。

出處：見《列子・說符》

釋義：因岔路太多而無從追尋走失了的羊隻，比喻環境複雜多變，結果找不到正確的方向而誤入歧途。歧路，岔路；亡，走失。

近義：多歧亡羊

287. 居安思危

典故：春秋時代，晉國的大臣魏絳勸晉悼公與鄰近的少數民族建立友好關係，後來晉悼公成了中原各國的盟主，便向魏絳道謝，並要把鄭國送來的禮物與他分享。魏絳婉言辭謝，不肯接受，並乘勢規勸晉悼公，要他「居安思危」，也就是說，在處於安定的環境時，便要想到將來可能遇到的困難和危險。

出處：參見「210‧有備無患」/《左傳‧襄公十一年》

釋義：處在安全的環境，要想到有可能出現危險，也就是要時刻提高警惕、以防禍患的意思。居，處在。

近義：有備無患　　**反義：**高枕無憂

288. 拋磚引玉

典故：唐代有一位詩人，名叫趙嘏，詩寫得很好；另一位詩人常建，仰慕趙嘏的詩才，很想得到他的詩句。有一次，常建得知趙嘏要去蘇州的靈巖寺遊覽，就先到那裏，故意在一堵顯眼的牆壁上題了兩句詩；趙嘏來後，看到牆上有兩句詩，沒有成篇，覺得十分可惜，便替它補上了兩句，成為完整的一首。常建見了，欣喜異常。後來，人們便把常建這種做法，稱為「拋磚引玉」。

出處：見《歷代詩話》

釋義：拋出磚去，引回玉來，比喻由自己先發表粗疏淺陋的意見或文章，目的在引出別人的高見或佳作。

近義：植竹引鳳　　**反義：**以珠彈雀

289. 狐假虎威

典故： 有一個故事，說是在茂密的森林裏，一隻老虎捉到了一隻狐狸，正想把他吃掉時，狐狸對老虎說：「我是天帝派來管理百獸的，要是你吃了我，就是違背天帝的旨意，天帝一定會懲罰你的；不信的話，可跟在我後面，看看百獸見到我，是不是嚇得東奔西竄。」於是老虎便跟在狐狸的後面走，牠們每到一個地方，那裏的野獸都嚇得四處逃跑。老虎於是相信了狐狸的話，但牠哪裏知道狐狸是借著牠的威風才把百獸嚇跑的呢！

出處： 見《戰國策・楚策一》

釋義： 比喻借別人的權勢來作威作福，欺壓良善。假，借、憑藉。

近義： 驢蒙虎皮／狗仗人勢

290. 杯弓蛇影

典故： 晉朝時候，有個叫樂廣的人，一天，他請朋友喝酒。兩人正喝得高興，那朋友忽然發現酒杯裏有一條蛇，頓時覺得全身都不舒服，回家後就病倒了。樂廣得知朋友生病的原委，便再把他請來，讓他仍坐在原來的座位上喝酒。樂廣問朋友有沒有見到蛇，朋友說有，樂廣便告訴他杯中的蛇只是掛在牆上那張弓的倒影而已。那朋友知道真相後，病便立即痊癒了。

出處： 見《晉書・樂廣傳》

釋義： 將映在酒杯中的弓影誤以為是蛇；比喻因疑慮而恐懼，疑神疑鬼。

近義： 草木皆兵／風聲鶴唳　　**反義：** 泰然自若

291. 盲人摸象

典故：古時候，有一個故事說，五個盲人在摸一隻大象，摸著象牙的說牠像一個蘿蔔；摸著象耳的說牠像一面簸箕；摸著象腿的說牠跟那大圓柱差不多；摸著象背的說牠就像一張平坦的大床；最後一個摸著象尾巴的盲人，則說牠像一條長長的繩子。幾個盲人爭論了半天，誰都不知大象究竟是甚麼樣子的。

出處：見《涅盤經》

釋義：比喻對事物只了解其中一部份，就自以為已掌握了全部。

近義：以偏概全　　**反義：**一窺全豹

292. 盲人瞎馬

典故：東晉時候的桓玄、殷仲堪和顧愷之，是三個好朋友。一天，他們閒談在甚麼情況下，才是最危險的。各人你說這，我說那，談笑風生。恰巧他們當中的殷仲堪瞎了一隻眼，顧愷之就說：「我想一個盲眼的人，騎一匹瞎馬，在黑夜裏走到萬丈深淵邊緣，才是最危險的。」

出處：見《世說新語・排調》

釋義：比喻瞎闖亂撞，處境十分危險。

近義：危如累卵　　**反義：**萬無一失

293. 易如反掌

典故：漢景帝時，<u>吳王</u> <u>劉濞</u>對朝廷懷有異心，密謀造反。當時，文學家<u>枚乘</u>正擔任吳王的幕僚，便上書規勸他，陳明利害關係，認為事情尚未公開，如果要改變初衷的話，易如反掌。不過，由於吳王反意已決，並沒有聽從<u>枚乘</u>的勸告。

出處：參見「222・安如<u>泰山</u>」/《漢書・枚乘傳》

釋義：容易得像翻轉手掌一樣，比喻事情極易辦到。

近義：輕而易舉　　**反義**：難於登天

294. 拔苗助長

典故：古時候，<u>宋國</u>有一個農夫，他性子很急，嫌田裏的禾苗長得太慢，因而把每棵都拔高一點，希望它們趕快生長成熟。農夫拔高禾苗之後，累得腰痠背痛。他拖著疲倦的身子走回家，氣喘吁吁地對家人說：「今天我幫助禾苗長高，可真把我累壞了！」他的兒子聽了，心中驚疑，連忙跑到田邊去看，只見禾苗全都枯死了。

出處：見《孟子・公孫丑上》

釋義：原作「揠苗助長」。把禾苗拔高，幫助它生長；比喻急於求成，違反事物的發展規律，反而把事情弄糟了。

近義：操之過急/欲速不達　　**反義**：順其自然/因勢利導

295. 刻舟求劍

典故： <u>戰國</u>時候，有一個<u>楚國</u>人，在乘船過江時，把隨身的寶劍掉進水中，他立刻在船舷上刻下一個記號，並自言自語道：「我的劍是從這裏掉下去的。」船在江中繼續前行。待靠岸後，他便從刻著記號的地方下水打撈寶劍，可撈了半天，甚麼也沒撈到。試想，渡船早已走得老遠了，而掉在水裏的劍是不可能隨船運行的。這個<u>楚國</u>人卻想憑著船舷上的記號找劍，當然是白花工夫。

出處： 見《呂氏春秋‧察今》

釋義： 比喻處事刻板、拘泥，不懂得隨著情勢的變化而改變看法或做法。刻舟，在船舷上刻下記號。

近義： 膠柱鼓瑟／墨守成規　　**反義：** 隨機應變／通權達變

296. 依樣葫蘆

典故： <u>北宋</u>初年，<u>陶穀</u>擔任<u>翰林</u>學士，負責為朝廷起草文件之類的工作。他自以為文筆優美，才能出眾，應該獲得升官，便託同僚試探<u>宋太祖</u>的意思。不料<u>太祖</u>說：「翰林起草文件，多是利用前人的文章加以刪改的吧！好比依照葫蘆的樣子繪畫葫蘆一樣，沒有甚麼了不起的。」<u>陶穀</u>心中不滿，便在翰林院的牆上題詩發牢騷，其中有這樣兩句：「堪笑翰林<u>陶</u>學士，年年依樣畫葫蘆。」

出處： 見《東軒筆錄》

釋義： 按照葫蘆的樣子畫葫蘆；比喻照樣模仿，缺乏創意。

近義： 如法炮製／照貓畫虎　　**反義：** 別出心裁／匠心獨運

297. 抱薪救火

典故： <u>戰國</u>末年，<u>秦國</u>恃強凌弱，打敗了<u>韓國</u>和<u>趙國</u>，又欺凌<u>魏</u>
<u>國</u>，要求<u>魏國</u>割地講和。縱橫家<u>蘇秦</u>勸諫<u>魏王</u>說：「以割
地來討好<u>秦國</u>，就好比抱著乾柴去救火一樣，只會使火越
燒越旺。」事實果如<u>蘇秦</u>所言。因此，後來北宋文學家<u>蘇</u>
<u>洵</u>在一篇題為《六國論》的文章中，稱許<u>蘇秦</u>這句話說得
很對。

出處： 見《史記‧魏世家》

釋義： 抱著乾柴去救火，比喻本想消除禍害，但因方法錯誤，反
而使禍害擴大。薪，乾柴。

近義： 弄巧反拙／潑油救火　　**反義：** 對症下藥

298. 刺股懸梁

典故： 古人讀書刻苦用功，留下了很多動人的故事，其中有這樣
的兩則：一則是<u>戰國</u>時代的<u>蘇秦</u>，每當讀書讀至累得想打
瞌睡的時候，便用尖錐砭刺自己的大腿，甚至刺得皮破血
流。另一則是<u>漢朝</u>人<u>孫敬</u>，為了不讓自己在讀書時打瞌
睡，便用繩子綁著頭髮，懸在屋樑上。

出處： 見《戰國策‧秦策一》／《蒙求集註》

釋義： 以尖錐砭刺大腿，把頭髮懸在屋樑上，形容刻苦讀書，意
志堅強。股，大腿；梁，房頂上的橫梁。

近義： 囊螢映雪／鑿壁偷光　　**反義：** 無心向學

299. 臥薪嘗膽

典故： 春秋末期，吳越兩國爭霸。開始時，越國戰敗，越王勾踐被迫到吳國做了三年奴隸，負責養馬和看守陵園。勾踐回國以後，立志要復興國家，洗雪恥辱。據說他擔心時間一久，會壯志消沉，因此就住在草屋裏，躺在凹凸不平的柴薪上睡覺，並在屋樑下懸掛一個苦膽，每日都嘗一嘗膽汁的苦味。越王「臥薪嘗膽」，憤發圖強，過了二十年，國力大盛，終於一舉攻滅吳國，洗雪前恥，取得了霸主的地位。

出處： 見《史記·越王勾踐世家》/《東周列國志》

釋義： 睡在乾柴上，嘗著膽汁的苦味；比喻刻苦自勵，發憤圖強。薪，乾柴；膽，苦膽。

近義： 忍辱負重/發憤圖強　　**反義：** 苟且偷安/自暴自棄

300. 花言巧語

典故： 元代雜劇《西廂記》裏有這樣一個情節：相國小姐崔鶯鶯與書生張君瑞暗中相戀，但她母親崔夫人不准兩人相愛，只准以兄妹相待；鶯鶯不敢公開反對母親的意思，言談之間儘量掩飾自己，可她的丫環紅娘聰明靈巧，對鶯鶯的心事瞭如指掌，便調侃她說：「對人前巧語花言，沒人處便想張生，背地裏愁眉淚眼。」

出處： 見《西廂記》第三本第二折

釋義： 虛假而動聽的話，或說虛假而動聽的話。

近義： 巧言令色/甜言蜜語　　**反義：** 肺腑之言/由衷之言

301. 花好月圓

典故： 北宋詞人張先，善於描寫詩酒生活和兒女私情。他有一首
詞，題為《木蘭花》，抒寫聚散匆匆的情境，其中有這樣
兩句：「人意共憐花月滿，花好月圓人又散。」意思是說，
花好月圓，親朋團聚，是人人都喜愛的；可正當這美好的
時光，偏偏又要離別了。

出處： 見《張子野詞》

釋義： 鮮花盛開，明月圓滿；比喻在美好的時光中團聚，後多用
作新婚的頌辭。

近義： 花朝月夕/良辰美景　　**反義：** 花殘月缺/勞燕分飛

302. 花朝月夕

典故： 春天百花盛開，秋天明月清朗。古代的騷人墨客，很喜歡
在花前月下飲酒作詩，吟花詠月。世人認為二月為春之
中，稱為「仲春」；八月為秋之中，稱為「仲秋」。因此，
以二月半為「花朝」，即百花生日；八月半為「月夕」，
即月亮生日。宋代習俗，每逢花朝月夕，民間有撲蝶的遊
戲。

出處： 見《熙朝樂事》

釋義： 泛指鮮花盛開的清晨、明月當空的夜晚；確指夏曆二月十
五(一說二月十二)與八月十五，即百花生日與月亮生日。

近義： 花好月圓/良辰美景

303. 欣欣向榮

典故： 東晉時候，大詩人陶淵明曾因為生計問題而出任一個小縣
的縣令，卻深感官場的污濁腐敗與自己剛直的個性、愛好
自然的品格不合，便毅然辭官歸隱田園。他寫了一篇文
章，題為《歸去來辭》，抒發這種辭官歸隱的情意。文中，
對山水田園、一草一木，都十分親切，滿懷熱愛，其中有
這樣兩句：「木欣欣以向榮，泉涓涓而始流」，寫出了春回
大地，樹木蓬勃婀娜、清泉在山石間淙淙湧流的幽美景象。

出處： 見《陶淵明集》

釋義： 原是形容草木茂盛地生長，現多用來比喻事業蓬勃發展，
繁榮興旺。

近義： 生機勃勃／繁榮昌盛　　**反義：** 草木搖落／蕭條零落

【九畫】

304. 春花秋月

典故： 李後主降宋後，過著「以眼淚洗臉」的生活，寫了許多抒
發亡國哀怨的詞。其中有一首題為《虞美人》的，一開頭
便寫道：「春花秋月何時了？往事知多少！」說自己面對
著「春花秋月」的良辰美景，難免想起以往的歡樂日子；
為免觸景傷情，自己總是不願看到這些美景，因此發出了
「何時了」的感慨。相傳宋太宗讀了這首詞，認為李煜仍
在思念故國，便派人把他毒死。

出處： 參見「133．不堪回首」／《南唐二主詞》

釋義： 春天的香花、秋天的明月；比喻快樂的時光、美好的景物。

近義： 良辰美景　　**反義：** 衰草殘陽

305. 春風桃李

典故：盛唐時候，唐玄宗的貴妃楊玉環，天生麗質，又能歌善舞，獲得專寵。唐玄宗與楊貴妃，終日在宮中宴飲歌舞，盡情歡樂，過著神仙般的生活。中唐詩人白居易，寫了一首長篇敘事詩，題為《長恨歌》，詩中用「春風桃李花開日」來形容唐玄宗與楊貴妃在「安史之亂」前那種「春從春遊夜專夜」的美滿愛情。

出處：見《白氏長慶集》

釋義：春風吹拂，桃李花開；比喻美好的時光、繁華的景象。

近義：桃紅李白　　**反義：**秋雨梧桐

306. 秋雨梧桐

典故：唐玄宗寵愛楊貴妃，演成了一齣皇家愛情悲劇。由於發生「安史之亂」，唐玄宗在奔蜀途中，為了平息護駕將士的不滿情緒，不得不將楊貴妃凌遲處死。楊貴妃死後，玄宗對她苦苦地思念，心境極為哀惋淒涼。中唐詩人白居易在《長恨歌》一詩中，用「秋雨梧桐葉落時」來比喻他（她）們的這種淒慘結劇。而「秋雨梧桐葉落時」的上句正是「春風桃李花開日」，上下兩句形成了鮮明的對比。

出處：參見「305・春風桃李」/《白氏長慶集》

釋義：秋雨瀟瀟，梧桐葉落；比喻悲苦的歲月、淒涼的景象。

近義：雨滴疏桐　　**反義：**春風桃李

307. 秋竹有節

典故： 唐代詩人<u>白居易</u>，有一首詩，是贈給好友<u>元稹</u>的，題為
《寄贈元九》，讚揚女子的貞節，其中有這樣兩句：「無
波古井水，有節秋竹竿。」詩人把「古井無波」與「秋竹
有節」作對句聯在一起，比喻女子嚴守貞節，心中不再蕩
起思春的漣漪。

出處： 見《白氏長慶集》

釋義： 形容女子節烈，保持貞操；也形容正直之士，堅持晚節。

近義： 古井無波／歲寒松柏　　**反義：** 紅杏出牆／晚節不終

308. 秋毫無犯

典故： 秦朝末年，<u>劉邦</u>與<u>項羽</u>分路伐<u>秦</u>。<u>劉邦</u>先攻入<u>秦</u>的首都<u>咸</u>
<u>陽</u>，推翻<u>秦</u>的統治。不過，當時<u>劉邦</u>的實力不如<u>項羽</u>，而
<u>項羽</u>又不甘心被<u>劉邦</u>搶了滅<u>秦</u>的頭功，準備舉兵進攻<u>劉</u>
<u>邦</u>。恰巧<u>項羽</u>的叔父<u>項伯</u>把這個消息告知他的好友——
<u>劉邦</u>的謀士<u>張良</u>，<u>劉邦</u>聞訊大吃一驚，便在<u>張良</u>的引介下
會見<u>項伯</u>，說他雖然先入關破<u>秦</u>，可秋毫微物都不敢私下
拿取動用，專候<u>項羽</u>來接收，請<u>項伯</u>在<u>項羽</u>面前美言幾
句。<u>項伯</u>答應了<u>劉邦</u>的要求。

出處： 見《史記·項羽本記》

釋義： 形容軍隊紀律嚴明，對老百姓的利益一丁點兒都沒有侵
犯。秋毫，鳥獸在秋天新長出來的又細又尖的毫毛。

近義： 雞犬不驚　　**反義：** 姦淫擄掠

309. 風吹草動

典故：春秋時候，伍子胥一家被楚平王抄斬，而他本人則逃脱。楚王為了斬草除根，派兵追捕伍子胥，在重要關口都畫了圖像，懸賞捉拿。伍子胥處境十分危險，在逃跑途中，隱蔽形蹤，畫伏夜行，挨饑受餓，忍氣吞聲，一有風吹草動，便立即躲藏起來。最後，終於逃離楚境，投奔到吳國去。

出處：見《敦煌變文集·伍子胥變文》

釋義：微風一吹，草就搖晃起來；比喻一點點的動靜或很輕微的變做。

近義：風聲鶴唳　　**反義：**天翻地覆

310. 風吹雨打

典故：辛棄疾是南宋時代的傑出詩人，與北宋的蘇軾同為豪放派的代表。他有一首詩，題為《永遇樂·京口北固亭懷古》，與蘇軾的《念如嬌·赤壁懷古》，可以說有異曲同工之妙。辛詞是藉緬懷三國及南朝英雄人物孫權與劉裕等，來影射宋室偏安江南的現實，寄意深遠。開頭數句是：「千古江山，英雄無覓，孫仲謀處。舞榭歌台，風流總被，雨打風吹去。」在這裏，詞人推許孫權開基建國的壯舉，儘管歷史演進，人事已非，但他的英雄業績則是與千古江山互相輝映的。

出處：見《稼軒詞》

釋義：原指花草樹木受到風雨的吹打，也用來比喻人物事件遭遇衝擊或波折。

近義：風吹浪打　　**反義：**風平浪靜

311. 風聲鶴唳

典故： 東晉時候，與北方的前秦發生了淝水（在今安微 壽春境）之戰。前秦兵多，東晉兵少。雙方主力沿淝水對陣，秦軍在西岸，晉軍在東岸。晉將謝玄要求秦軍稍往後退，讓晉軍渡淝水到西岸決戰；秦王 苻堅不知是計，企圖乘晉軍半渡淝水時加以截擊，便命令軍隊後退。秦軍一移動，軍中的東晉降將朱序乘機大呼「秦軍敗了！」於是一退不可復止，未戰先亂。晉軍乘勢渡河追擊；秦軍大敗潰逃。苻堅在逃跑路上，聽到風嘯和鶴叫，都以為是晉軍追來了，十分狼狽。

出處： 參見「258 · 投鞭斷流」/《晉書 · 謝玄傳》

釋義： 聽到風嘯鶴叫，都誤以為是追兵，形容驚慌疑懼到極點而自相驚擾。唳，鶴叫。

近義： 杯弓蛇影/草木皆兵　　**反義：** 處變不驚/泰然自若

312. 風雲變幻

典故： 秋瑾是近代中國的革命女英雄，也是一位詩人。她有一首詩，題為〈東某君 · 其二〉，抒發了對時局和國運的關切之情。詩中有這樣兩句：「歎息風雲多變幻，存亡家國總關情。」意思是說，形勢變化莫測，令人嘆息；國家的興亡，牽繫著自己的心。

出處： 見《秋瑾集》

釋義： 原指天氣變化莫測，現多用以比喻形勢變化多端，難以捉摸。

近義： 雲譎波詭　　**反義：** 波瀾不興

313. 風流人物

典故：蘇軾是北宋時代的傑出詞人，詞風豪放。他的詞作中，有一首題為《念如嬌·赤壁懷古》，抒寫與友人遊覽赤壁，面對江山勝景，緬懷三國時代的英雄人物周瑜，感慨無限。詞一開首便寫道：「大江東去，浪淘盡，千古風流人物。」詞人從滾滾東流的長江橫空落筆，隨之用浪花淘盡與英名蓋世的歷史人物聯繫起來，營造了一個極為廣闊而悠遠的時空背景，氣勢非凡。

出處：見《東坡樂府》

釋義：指功績彪炳、對一個時代有重大影響的傑出人物。風流，這裏是有允文允武、英偉傑出的意思。

近義：風雲人物　　**反義：**凡夫俗子

314. 風餐露宿

典故：元代的畫家王冕，善於畫荷花。他畫的荷花，好像是剛從荷池上摘下來貼在紙上似的，青翠欲滴。本地的時知縣，一再要求王冕為他畫荷花，但王冕為人光明磊落，認為時知縣品行不端，不願與他結交。有一次，時知縣親自到王冕家中探訪，王冕還是避而不見。這樣一來，王冕為了躲過時知縣的陷害，只好辭別老母親，遠避他鄉，一路風餐露宿，受盡萬苦千辛。

出處：見《儒林外史》

釋義：在風裏吃飯，在露天睡覺；形容旅途或野外生活艱苦。

近義：餐風飲露/櫛風沐雨

315. 風調雨順

典故： 商朝末年，紂王失德；周武王伐紂，以有道伐無道，推翻
商的統治，歷史上稱為「貴族革命」。根據史書記載，當
武王興兵的時候，天寒地凍，雪深丈餘；及至滅商之後，
氣候轉佳，風調雨順。

出處： 見《舊唐書‧禮儀志一》

釋義： 風配合得適宜，雨水及時，有利於農作物生長，可望五穀
豐登。調，均勻配合；順，適應需要。

近義： 雨雪及時　　　**反義：** 旱澇為災

316. 英姿颯爽

典故： 唐代畫家曹霸，擅長畫馬，也工於畫人物肖像。唐玄宗
時，奉命修整《凌煙閣功臣像》，重新設色，並重新勾勒
人物神態，使二十四功臣的畫像個個栩栩如生。詩人杜甫
盛讚此事，特地寫了一首詩，詩中有這樣兩句：「褒公
鄂公毛髮動，英姿颯爽來酣戰。」意思是說，畫像中的那
些武將好像毛髮都動了起來，重現了當年在戰場上縱橫馳
騁的英雄本色。

出處： 參見「245‧別開生面」/《杜工部集‧丹青引贈曹將軍霸》

釋義： 形容英俊威武的樣子。英姿，英俊威武的風度和姿態；颯
爽，豪邁矯健。

近義： 雄姿英發/器宇軒昂　　　**反義：** 猴頭鼠耳/三寸豆丁

317. 柳暗花明

典故：南宋詩人<u>陸游</u>，有一次，到鄉間遊玩，走著走著，但覺得
山水重重疊疊，道路迂迴曲折，正當懷疑前面再有沒有去
路的時候，卻在綠柳掩映、百花明麗之處，意外地發現了
一個小村莊，即<u>山西村</u>。詩人喜不自勝，寫了一首詩，題
為《遊山西村》，用「山重水複疑無路，柳暗花明又一村」
來描狀這種意想不到的奇遇。

出處：見《劍南詩稿》

釋義：本來是形容綠柳成蔭、花木掩映的幽美環境，現多用來比
喻經過一番曲折後出現轉機，變得順利。

近義：峰回路轉　　**反義：**山窮水盡

318. 背城借一

典故：春秋時候，<u>齊晉</u>兩國在鞍（今<u>山東歷城縣</u>境）交戰，<u>齊</u>軍
被<u>晉</u>軍主將郤克率領的諸侯聯軍打得大敗。<u>齊</u>王派大臣<u>賓
媚人</u>，帶著國寶玉器和土地簿冊去向<u>晉</u>軍求和。<u>賓媚人</u>見
了<u>郤克</u>，<u>郤克</u>提出種種難以接受的條件，於是<u>賓媚人</u>強硬
地說：「國君囑咐我：如果你們不想滅亡我國，我們就不
吝嗇一點財物和土地；如果你們想逼我國投降，那麼，我
們就會收集殘兵，開赴城外，與<u>晉</u>軍決一死戰。」終於，
<u>郤克</u>同意與<u>齊</u>國講和。

出處：見《左傳·成公二年》

釋義：把軍隊開赴城外，背向自己的城堡，與敵人決一死戰；表
示決心作最後的拼搏，比個高下。

近義：背水一戰/破父釜舟　　**反義：**俯首稱臣/畏敵如虎

319. 美侖美奐

典故：春秋時候，晉國的相國趙武，營造了一座府第，十分豪華。落成時，晉國的一班大臣紛紛來道賀。其中，一個名叫張老的，賀詞中有這樣兩句：「美哉輪焉！美哉奐焉！」意思是說，好呀，高大啊！好呀，華麗啊！他的賀詞其實含有諷刺趙武過於奢華的意思，但趙武並不介意，一樣高興地接受了他的祝賀。

出處：見《禮記‧檀弓篇》

釋義：形容建築物高大華麗。侖，高大寬敞；奐，光亮華麗。也寫作「美輪美煥」。

近義：富麗堂皇　　**反義**：竹籬茅舍

320. 約法三章

典故：秦朝末年，天下豪傑紛紛起來反對它的統治，其中劉邦的軍隊最先攻入秦的首都咸陽，把秦推翻。為了安定民心，劉邦便向咸陽的老百姓宣佈了三條簡明而重要的律法，那就是：殺人者要償命；傷人者要治罪；搶劫者要懲罰。這些律法維持了城中的治安，於是劉邦深受民眾擁戴，聲望大增。

出處：見《史記‧高祖本紀》

釋義：約定三條法律；比喻做事前，先定下幾條重要規則，切實遵照執行。約，約定；章，這裏指條款。

近義：嚴明約束　　**反義**：毫無規矩

321. 飛黃騰達

典故：唐代文學家韓愈為勉勵兒子韓符用功讀書，寫了一首詩，
詩中講了這樣的一個故事：有兩户人家各生了一個兒子。
這兩個孩子，在年幼時容貌性情都很相似，他們經常在一
起玩耍，如同一起游著的魚兒。到了十二三歲時，卻漸漸
看出分別了。到二十來歲時，他們的表現更明顯地不同：
一個聰明剔透，像清水渠；一個愚蠢積垢，似污水溝。及
至三十歲左右，他們一個像騰雲駕霧的龍，一個卻像只會
吃飽睡覺的豬；一個像神馬奔騰前進，一個卻像癩蛤蟆一
樣被遠遠拋在後頭。

出處：見《韓昌黎集・符讀書城南》

釋義：神馬騰空奔馳；比喻官場地位快速提升，顯貴得志。飛
黃，傳說中的神馬；騰達，騰空奔馳。

近義：平步青雲　　**反義：**寂寂無聞

322. 畏首畏尾

典故：春秋時代，北方的強國晉，懷疑本來依附它的小國鄭要投
靠南方大國楚，於是準備出兵攻鄭。鄭國派使者向晉國
說：「我們鄭國對晉國向來尊敬，貢品禮物每年敬奉，可
是你們還要懷疑並欺侮我國。我國寧可滅亡，也不能忍受
下去了。古人說：『頭又怕，尾又怕，全身還有哪處不怕
呢？』我國到了滅亡的關頭，只好去投靠楚國了。」晉國
見鄭國態度強硬，又怕鄭投向楚國，便和鄭國講和。

出處：見《左傳・文公十七年》

釋義：前也怕，後也怕；比喻膽小怕事，顧慮很多。

近義：優柔寡斷　　**反義：**勇往直前

323. 前倨後恭

典故：戰國時候，蘇秦游説各國國君，開始時沒有成功，得不到
功名利祿。回到家中，父母不同他講話；妻子只顧繼續織
布，連看也不看他一眼；嫂嫂不給他做飯，還奚落了他一
頓。於是，蘇秦發憤讀書。後來，他再去游説各國國君，
獻合縱之策，得到採納，一身兼任六國國相，佩帶六國相
印。當他回家時，父母到城外三十里的地方迎接；妻子恭
敬地站在一旁，不敢正眼看他；嫂嫂更爬在地上，不斷磕
頭。蘇秦見狀，笑著説：「嫂，何前倨而後恭也？」

出處：見《戰國策·秦策一》

釋義：形容對人起先傲慢，後來恭敬。倨，傲慢；恭，恭敬。

近義：欺貧重富／趨炎附勢　　**反義：**不亢不卑／君子之交

324. 削足適履

典故：春秋時代，晉獻公的妃子驪姬想給自己的兒子奚齊當太
子，便設計陷害太子申生。有一次，申生送來燒肉，晉獻
公正想吃的時候，驪姬説應該先嘗嘗再吃。晉獻公使人切
下一塊肉來給狗吃，誰知狗吃後便立即死了。其實這是驪
姬暗中在肉中放上毒藥來陷害申生。晉獻公以為申生想害
他，就命令申生自盡。後人評論這件事時説：「骨肉相
殘，就好像把腳削去一部分以適應小鞋一樣的愚蠢。」

出處：見《淮南子·説林訓》

釋義：因腳大鞋小，便把腳削去一部分以適應小鞋，比喻勉強求
合或無原則的遷就。適，適應；履，鞋。

近義：殺頭便冠

325. 後來居上

典故： 漢武帝時，有一個大臣名叫汲黯，性格鯁直，經常規勸武帝，因此武帝對他不喜歡，官職得不到升遷。而本來一些官階比他低的人，反而不斷升官，地位在自己之上。對此，汲黯心中不滿。有一次，他對武帝說：「你任用大臣的辦法，就像堆放柴薪一樣，越是後來的就越放在上面。」

出處： 見《史記·汲鄭列傳》

釋義： 後起的超越先前的。

近義： 後發先至/後起之秀　　　**反義：** 虛佔先鞭/佔盡先機

326. 苟延殘喘

典故： 古時候，有個讀書人名叫東郭先生。一天，他在路上遇到一隻狼，被獵人追得很緊，無處逃命。狼乞求東郭先生說：「請讓我躲進你裝書的布袋裏，使我垂危的生命暫且得到延續吧。」東郭先生見到狼這樣可憐，就答應了狼的請求，使牠躲過獵人的追捕。

出處： 見《中山狼傳》

釋義： 比喻只能暫時勉強維持生命。苟，暫且；延，延續；殘喘，臨死前的喘息。

近義： 苟且偷生/行將就木　　　**反義：** 生龍活虎

327. 怒髮衝冠

典故：戰國時代，趙王得到了一方寶玉，名叫「和氏璧」。秦王企圖騙取這件寶物，就寫信假意向趙王說，願意以十五座城池交換和氏璧。於是趙王便派藺相如往見秦王。藺相如是個勇敢機智的人，他深明秦王根本無心以城換玉，便當面揭穿秦王的騙局，而手持璧玉，倚著柱子，怒髮衝冠，聲言如果秦王耍強的話，他便和璧玉共存亡。

出處：參見「253·完璧歸趙」/《史記·廉頗藺相如列傳》

釋義：氣得頭髮直豎，把帽子頂了起來，形容極其憤慨的樣子。

近義：怒不可遏/咬牙切齒　　**反義：**欣喜若狂/心平氣和

328. 負荊請罪

典故：戰國時代，趙國的文臣藺相如因辦理外交有功，被拜為上卿，地位在武將廉頗之上。廉頗認為自己戰功卓著，而藺相如只不過是口舌之勞，不甘心屈居其下，揚言一定要當面羞辱他。藺相如聽到這話後，就處處避開廉頗。有一次，相如乘車外出，遠遠望見廉頗的車子迎面而來，馬上叫車伕拐路迴避。他的下屬認為藺相如是害怕廉頗，準備各自走散。藺相如解釋說，秦國之所以不敢侵犯趙國，是因為有他和廉頗；如果他們兩人互爭意氣，就會給秦國有機可乘；他並不是害怕廉頗，而是以國事為重。廉頗得知後既感動，又慚愧，就袒露著背，揹著荊條，親自到相如家謝罪。從此，兩人和好，結為生死之交。

出處：見《史記·廉頗藺相如列傳》

釋義：揹著荊條向對方請罪，願受責罰；表示主動向對方認錯，賠禮道歉。負，揹著；荊，荊條。

近義：幡然悔悟　　**反義：**文過飾非/興師問罪

329. 信口雌黃

典故：魏晉時期，士人喜歡清談玄理，其中王衍是開風氣之先的人，他經常手執塵拂，採用老子、莊子和儒家的學說，大發議論，玄妙新奇。當他說得前後矛盾、漏洞百出時，便隨口推翻前論，繼續講下去。當時人們寫字多用黃紙，寫錯了便用雌黃塗了再寫。於是，有人便諷刺王衍口中有雌黃。

出處：見《晉書·王衍傳》

釋義：比喻不問事實，不顧後果，隨口亂說或妄加評論。雌黃，即雞冠石，黃赤色，可作顏料，古時寫字用黃紙，寫錯了就用雌黃塗抹後再寫。

近義：信口開河　　**反義：**言必有中

330. 甚囂塵上

典故：春秋時候，晉楚兩國在鄢陵交戰。楚共王親臨前線指揮。戰鬥開始前，楚王登上戰車觀察晉軍的動靜，侍從把晉營的情況一一指給他看。楚王看了一會兒，說：「甚囂，見塵上矣！」侍從解釋道：「那是晉軍填井平灶，準備擺開陣勢了。」這一戰的結果，楚軍大敗，楚王也被晉軍射傷。

出處：見《左傳·成公十六年》

釋義：人聲喧嘩，塵土飛揚。原指軍中忙於準備上陣的狀態；後用作消息到處流傳，議論紛紛。囂，熱鬧。

近義：滿城風雨　　**反義：**無聲無息

331. 食言而肥

典故： 春秋時候，魯哀公不滿大臣孟武伯說話不守信用。有一
次，哀公和孟武伯對飲，哀公的近臣、胖子郭重在旁，孟
武伯素來不喜歡郭重，便趁機挖苦說：「為甚麼郭重這樣
肥胖呢？」不料，哀公竟借郭重肥胖的話題反過來諷刺孟
武伯，回答說：「經常把自己的話吃進肚中的人，能不肥
胖嗎？」

出處： 見《左傳・哀公二十五年》

釋義： 形容言而無信，不履行諾言。食言，說話不算數。

近義： 輕諾無信/自食其言　　**反義：** 一諾千金/言而有信

332. 殃及池魚

典故： 春秋時候，宋國的大臣桓魋得到了一顆無價的寶珠，宋君
想佔有它，便給桓魋加了一個私藏國寶的罪名，要把他驅
逐出境。然而，桓魋始終不肯交出寶珠。宋君派人去抄
家，也沒有結果。逼問之下，桓魋便胡謅說：「寶珠扔到
池塘裏去了。」於是，宋君下令，吸乾池塘的水，細細尋
找；可惜根本見不到寶珠的蹤影，而一池子的魚卻遭到了
意外的禍殃。

出處： 見《呂氏春秋・必己》

釋義： 比喻無辜受到牽連而蒙受禍害或損失。殃，災禍。

近義： 無妄之災/禍及無辜　　**反義：** 愛屋及烏

333. 南柯一夢

典故： 從前，有一個失意的武士，名叫淳于棼，經常與他的朋友
在一起喝酒。一天，他在庭前的一棵大槐樹下飲得酩酊大
醉，朋友把他扶到屋裏。淳于棼剛躺在床上，就恍惚來到
一個地方，朱門重樓上寫著「大槐安國」四個斗大的字。
他進入王宮，晉見國王；國王招他為駙馬，並封他為南柯
太守。從此，淳于棼享盡榮華富貴。不料檀蘿國忽然大舉
入侵，他驚覺醒來，才知是醉夢一場，所謂大槐安國，原
來就是那槐樹下的一個螞蟻洞。

出處： 見李公佐《南柯太守傳》

釋義： 泛指做夢，多用來比喻一場空歡喜。柯，草木的枝莖。

近義： 一枕黃粱　　**反義：** 夢想成真

334. 南轅北轍

典故： 戰國時候，魏安釐王企圖稱霸天下，準備出兵攻打趙國。
大臣季梁用一個故事來勸諫魏王。他說自己曾遇到一個要
到楚國去的人，楚國本在南方，可是那人的車子卻向著北
方駛去。這樣，縱使他的車子跑得再快，也是沒有用處
的，因為越跑得快，他只會離目的地越遠。季梁講完這個
故事後，又說：「大王想藉武力侵略別國來達到稱霸天下
的目的，不正像要到南方去的楚人卻駕著車子往北走一樣
嗎？」魏王明白季梁的意思，就取消了攻趙的計劃。

出處： 見《戰國策·魏策四》

釋義： 本來想要往南，卻把車子駛向北方；比喻背道而馳，行動
和目的相反。轅，車前駕牲口的兩根直木；轍，車輪走過
的軌跡。

近義： 背道而馳　　**反義：** 殊途同歸

335. 洛陽紙貴

典故：晉代的文學家<u>左思</u>，文章寫得很出色，以辭藻華麗見稱。當時流行以辭賦的形式來鋪陳大都市的情況，<u>左思</u>花了十年的時間，以<u>三國</u>鼎立時<u>魏</u>、<u>蜀</u>、<u>吳</u>都城的景物為題材，寫成了《三都賦》。<u>左思</u>的作品寫成後，得到許多名士讚賞，京師<u>洛陽</u>一些有地位的人爭相購買紙傳抄，以致<u>洛陽</u>的紙價亦昂貴起來。

出處：見《晉書・文苑傳》

釋義：形容好的書籍和文章風行一時。

近義：一紙風行

336. 按圖索驥

典故：春秋時代，有一個名叫<u>伯樂</u>的，善於相馬，並寫作了一部《相馬經》。有一次，<u>伯樂</u>的兒子拿著這部《相馬經》到市場去買馬，他見到書中描寫良馬的特徵與一隻大蟾蜍十分相似，便把蟾蜍買回來，告訴父親已找到一匹千里馬。<u>伯樂</u>心知兒子愚蠢，只得苦笑說：「這匹馬十分喜歡跳躍，卻不能騎。」接著，<u>伯樂</u>深有感慨地說：「這就是所謂按圖索驥啊！」

出處：見<u>楊慎</u>《藝林伐山》

釋義：原本是比喻辦事拘泥成法，不顧實際；今多用來比喻依照線索去尋求事物。索，尋找；驥，良馬。

近義：順藤摸瓜/刻舟求劍　　　**反義：**無跡可尋

337. 指鹿為馬

典故： 秦朝末年，宦官趙高擁立秦二世有功，被任為丞相，獨攬
大權。後來趙高密謀篡位，欲先試探一下群臣是不是信服
他，便想出一條計策，向二世進獻了一隻鹿，指著牠說：
「這是馬。」二世笑道：「丞相錯了，你把鹿說成馬。」
趙高沒有理會秦二世，又故意高聲問群臣：「你們說這是
馬還是鹿？」當時朝廷上的百官，有的不敢作聲，有的為
了討好趙高就說是馬，只有少數人說是鹿。後來，凡說是
鹿的，都被趙高殺害了。

出處： 見《史記‧秦二世本紀》

釋義： 比喻故意顛倒是非，混淆黑白。

近義： 顛倒是非／扭直作曲　　**反義：** 黑白分明／循名責實

338. 狡兔三窟

典故： 戰國時候，齊國的貴族孟嘗君在門客馮煖幫助下，獲得民
眾的愛戴。孟嘗君非常感謝馮煖，但馮煖說：「狡兔有三
窟，也僅能保存性命而已；現在您只不過是有一窟罷了，
還不能高枕無憂啊！」後來，在馮煖的策劃下，孟嘗君得
到魏王及齊王的信任和看重。馮煖於是說：「現在三窟都
已完成，您可以高枕無憂了。」

出處： 見《戰國策‧齊策四》

釋義： 狡猾的兔子有三個洞穴；比喻避禍藏身的地方很多。窟，
洞穴。

近義： 預留退路　　**反義：** 無處容身

339. 城下之盟

典故： 春秋時候，有一次，<u>楚國</u>進攻小國<u>絞</u>，<u>楚軍</u>包圍了<u>絞國</u>都城的南門。<u>絞軍</u>死守城池，閉門不出；<u>楚軍</u>幾次攻城，都沒有成功。<u>楚</u>將<u>屈瑕</u>，為盡快取得戰爭的勝利，便用計誘<u>絞軍</u>出城；<u>絞軍</u>果然中計，傾城而出，遭到<u>楚軍</u>的伏擊，大敗潰散。<u>絞國</u>國王眼看就要城破國亡，被迫同意在城下與<u>楚國</u>簽訂了屈辱的盟約。

出處： 見《左傳‧桓公十二年》

釋義： 比喻兵臨城下，被迫屈服講和，訂立喪權辱國的盟約。盟，盟約、條約。

反義： 負隅頑抗

340. 為虎作倀

典故： 傳説有一隻老虎，在深山老林裏尋找食物，正好遇上一個人，便猛撲上去把他咬死吃了。老虎抓住這個人的冤魂不放，要他再找一個人來供牠享用，然後才可以離開；這個鬼魂竟然同意了。於是，老虎出行，他當嚮導，一遇見人，他馬上報告老虎，老虎便猛撲上去，把人咬死。鬼魂找到了替身，為了讓自己早點離開老虎，就幫老虎解開那人的帶子，脫掉那人的衣服，好讓老虎吃起來更加方便。這個幫老虎吃人的鬼魂，就叫「倀鬼」。

出處： 見<u>李昉</u>《太平廣記》/<u>張自列</u>《正字通》

釋義： 比喻幫壞人幹壞事。倀，倀鬼，傳説為被老虎咬死的人所變成，專門給老虎帶路找人來吃。

近義： 助紂為虐　　**反義：** 除暴安良

【十畫】

341. 桃李不言

典故： 李廣是西漢時代的名將，善於騎射，號「飛將軍」。他一生跟匈奴打過七十多次仗，建立了不少戰功；平日很少說話，而與士卒同甘共苦，每獲賞賜，都一齊分享。不過，朝廷並沒有重用他，在六十多歲時最後一次和匈奴作戰，竟被迫自殺而死。噩耗傳來，全軍將士盡皆痛哭流涕，遠近百姓無不傷感歎息。太史公司馬遷在為李廣立傳時稱讚道：「桃李不言，下自成蹊」。意思是說，桃樹李樹，不會說話，可由於花朵芬芳，果實甜美，在樹下往來的人絡繹不絕，以至走出了一條小路。

出處： 見《史記・李將軍列傳》

釋義： 桃樹李樹不會說話，也無須說話；比喻為人真誠務實，不求虛聲浮名。

近義： 循名責實　　**反義：** 弄虛作假

342. 桃李滿門

典故： 唐代武則天當權時，宰相狄仁傑甚得信任。狄仁傑十分賢能，又有自知之明。他先後推薦了姚元崇、張柬之等數十人，都成為一代名臣。因此，有人就對狄仁傑說：「天下桃李，悉在公門矣。」意思是，天下的人才，都在您門下了。狄仁傑回答說，我是為朝廷推薦人才，而不是為私人啊。

出處： 見《資治通鑑・唐紀》

釋義： 形容老師教出的學生、培養的人才極多。桃李，借喻學生。

近義： 門牆桃李／桃李滿天下

343. 草木皆兵

典故：東晉時候，北方的前秦苻堅帶領九十萬大軍南侵，氣勢
洶洶。東晉丞相謝安派謝玄等率兵八萬迎敵。兩軍在主力
決戰前，謝玄先派一支軍隊奇襲洛澗，擊敗秦軍前鋒。苻
堅聞訊吃了一驚，急忙與其弟苻融登上壽陽（今安徽壽
春）城樓，觀察晉軍軍情。只見晉軍佈陣整齊，壁壘森
嚴；又遙望遠處八公山上，草木隨風擺動，誤以為也是晉
兵。苻堅回頭對苻融說：「誰說晉軍不多呢？滿山遍野都
是啊！」他開始覺得恐懼，有點氣餒了。

出處：參見「258．投鞭斷流、311．風聲鶴唳」/《晉書・謝玄傳》

釋義：把草叢樹木誤認作敵人的伏兵，形容人在驚恐時疑神疑
鬼、自相驚擾。

反義：泰然自若/處變不驚

344. 高朋滿座

典故：唐朝初年，興建了一幢名為藤王閣的樓閣；後來，有一個
叫閻伯嶼的官員，加以重修。竣工時，他請了許多客人在
閣中慶祝，詩人王勃也在其中。王勃即席揮毫，寫了一篇
文章，就是有名的《滕王閣序》，文章使用「高朋滿座」
來形容賓客眾多的盛況。

出處：見《江西通志》

釋義：高貴的朋友坐滿了席位，形容客人很多。

近義：勝友如雲　　**反義**：門可羅雀

345. 高山流水

典故： 春秋時候，有一個琴師，名叫<u>伯牙</u>，他彈奏的樂曲非常優
美動聽。有一次，<u>伯牙</u>彈奏一支曲子，是表現高山形象
的；一個樵夫聽了，激賞說：「真好啊，巍巍峨峨如同見
到了<u>泰山</u>！」<u>伯牙</u>對這個樵夫的欣賞能力暗暗佩服。接
著，他又彈了一曲，是表現流水形象的，樵夫又讚歎道：
「真好啊，浩浩蕩蕩如同見到了江河！」<u>伯牙</u>對樵夫的欣
賞能力更加驚奇，激動地站起來說：「知音！知音！」於
是，<u>伯牙</u>請問樵夫的尊姓大名，樵夫恭敬地說他叫<u>鍾子
期</u>，兩人成了好朋友。

出處： 見《列子・湯問》

釋義： 比喻知音或知己，也用來形容樂曲優美精妙。

近義： 曠世知音　　**反義：** 知音難求

346. 高屋建瓴

典故： <u>漢高祖</u> <u>劉邦</u>建國時，定都<u>長安</u>（今<u>陝西</u> <u>西安</u>）。接著，大
殺功臣，把他認為對自己皇位有威脅的開國功臣加以誅
除，包括<u>淮陰侯</u> <u>韓信</u>在內。當用計逮捕<u>韓信</u>後，有個叫
<u>田肯</u>的大臣祝賀說：「皇上制服了<u>韓信</u>，又建都於<u>關中</u>，
地勢便利；如果再有甚麼諸侯變亂，要對他用兵，就好比
高屋建瓴一樣，直瀉無阻啊！」

出處： 見《史記・高祖本紀》

釋義： 在高高的房頂上把瓶子裏的水往下傾倒；形容居高臨下的
氣勢。同「溔」，瓴，盛水的瓶子。

近義： 勢如破竹　　**反義：** 逆水行舟

347. 笑裏藏刀

典故： 唐朝時候，有個大臣名叫李義府，外號「李貓」。李義府
之為人，外表看來十分和善，謙恭有禮，與人交談也常是
笑咪咪的，可他的內心卻極其陰險毒辣，尖酸刻薄。如果
他對某人稍有不滿，當他口中還是有說有笑時，心裏早已
在盤算著怎樣加以陷害。因此，當時人們都說「義府笑中
有刀」。

出處： 見《舊唐書·李義府傳》

釋義： 比喻外表和善親切而內心陰險狠毒。

近義： 口蜜腹劍　　**反義：** 表裏如一

348. 起死回生

典故： 春秋時候，有個醫生名叫扁鵲。有一次，他經過虢國都
城，聽說昨晚王子死了，就去了解實情。一個大臣說，王
子是夜裏得急病而死的。扁鵲自告奮勇要搶救王子，那位
大臣立即向國王報告，國王便把他迎進宮中。扁鵲給王子
診斷後說：「是氣回不轉而昏過去的，現在還有救。」扁
鵲說完，便在王子身上插了幾支針。一會兒，王子果然甦
醒來了。消息傳開，人們都稱讚扁鵲醫術高明，能夠「起
死回生」。

出處： 見《史記·扁鵲倉公列傳》

釋義： 使死人復活；形容醫術高明，也用來形容挽救了看來沒有
希望的事情。

近義： 妙手回春/藥到病除　　**反義：** 藥石無靈/回生乏術

349. 病入膏肓

典故：春秋時候，秦桓公聽說晉景公病重，便派一個名叫緩的名
醫往晉國為他治療。晉景公曾在夢中，見到自己身上的病
原來是兩個淘氣的小童在搞鬼；兩小童知道醫緩快要前
來，便商量躲藏到晉景公體內膏肓之間。果然，醫緩替景
公診治後說：「大王的病在肓之上、膏之下，藥物的效力
不能到達，已無法醫治了。」晉景公想起自己的夢境，便
點了點頭說：「你的醫術真高明啊！」

出處：見《左傳・成公十年》

釋義：原意是病情沉重垂危，無法醫治；也比喻事態嚴重，無可
挽回。膏，醫學上指心尖脂肪；肓，指心臟與隔膜之間：
膏肓為人體內藥力不到之處。

近義：藥石無靈／不可救藥　　**反義：**無病呻吟

350. 倒屣相迎

典故：東漢末年，出現了七位著名的文學家，歷史上稱為「建安
七子」（建安是漢獻帝的年號）。七子中的王粲，據說在十
多歲時已得到文學家蔡邕的賞識。當時，蔡邕享有盛名，
每天到他家的賓客很多。有一次，聽到王粲來訪，蔡邕非
常高興，趕快起身到門口去歡迎他，急忙之中，把鞋子也
倒轉了穿。

出處：見《三國志・魏書・王粲傳》

釋義：因急忙迎客而把鞋倒穿了，比喻極熱切地歡迎客人。

近義：掃榻以待　　**反義：**拒人千里／拒之門外

351. 倒行逆施

典故： 春秋時代，有一個人，名叫伍子胥。伍子胥本是楚國人，但父親和兄長都被楚平王殺害，他一個人在好友申包胥的幫助下逃到吳國，立誓要報仇。後來，他協助吳王帶兵進攻楚國，打入楚國的都城。這時，楚平王已死，伍子胥便掘開楚平王的墓，把屍體鞭打了三百下。申包胥責備他做得太過份了；伍子胥沒有反駁，只是說：「我是迫不得已，才這樣倒行逆施。」

出處： 見《史記‧伍子胥列傳》

釋義： 形容違背常理，胡作非為。

近義： 胡作非為　　**反義：** 順水推舟/順天應人

352. 唇亡齒寒

典故： 春秋時候，晉國準備攻打虢國，便賄賂虢國的鄰國虞，向虞國借路，虞國的國君貪圖財寶，竟然答應。大臣宮之奇進諫說：「虢和虞就像是嘴唇與牙齒的關係，如果任由嘴唇失去的話，牙齒便會受冷了。」可惜虞君沒有聽從勸諫，還是借路給晉軍。果然，晉軍攻滅虢國後，回師時也順道把虞國消滅了。

出處： 見《左傳‧僖公五年》

釋義： 嘴唇沒有了，牙齒就會覺得冷；比喻關係密切，利害相關。亡，沒有、失去。

近義： 唇齒相依/休戚相關　　**反義：** 毫不相干

353. 退避三舍

典故：春秋時候，晉國發生內亂，公子重耳出奔，路過楚國，得
到楚成王的接待。成王問他：「將來你會怎樣報答楚國
呢？」重耳說：「如果我有機會成為國君，而他日晉楚兩
國在中原爭霸的話，我一定會下令軍隊向大王退避三舍之
遠。」後來，重耳回國獲得王位，是為晉文公，在晉楚城
濮之戰中，果然向楚軍退避三舍，實踐了自己的諾言。

出處：見《左傳‧僖公二十三年》

釋義：原是指在作戰時禮遇對方而後退九十里；現用來比喻對人
讓步，避免衝突。舍，古時行軍以三十里為一舍。

近義：互相禮讓　　**反義**：步步進逼

354. 班門弄斧

典故：唐代的偉大詩人李白，死後埋葬在長江邊的采石磯（今安
徽省當塗縣境）。歷代的騷人墨客，經過這裏時，都要到
李白墓前憑吊一番，並題詩留念。不過，此等詩篇大多拙
劣，無甚可取。明代有個詩人見了，便也提筆題上一首：
「采石江邊一抔土，李白詩壇耀千古；來者去者寫兩行，
魯班門前掉大斧」。詩的最後兩句，諷喻那些在李白墓前
題詩炫耀詩才的人，就好像在魯班門前耍弄斧子一樣。

出處：見楊循吉《蓬軒別記》

釋義：在魯班門前耍弄斧頭；比喻在行家面前賣弄本領，也常用
作自謙之辭。班，即魯班，春秋時代著名的工匠。

近義：布鼓雷門　　**反義**：深藏不露／程門立雪

355. 峰回路轉

典故：唐代詩人岑參，善於寫邊境軍旅的生活。其中，有一首詠
雪送別同僚的詩，題為《白雪歌送武判官歸京》，結尾四
句這樣寫道：「輪台東門送君去，去時雪滿天山路。山回
路轉不見君，雪上空留馬行處。」意思是說，大雪封山，
路可怎麼走啊！路轉峰回，您的身影已消失在雪地裏，而
我還在追尋您的行蹤。

出處：見《岑嘉州詩集》

釋義：原指山路崎嶇，曲折盤旋，也用來比喻情況發生變化，通
常指向好的方面轉化。

近義：柳暗花明／奇峰忽現　　**反義：**山窮水盡

356. 狼狽為奸

典故：狼和狽是同一類動物，狼的前腿長，後腿短；狽則相反。
據傳說，有一天，狽和狼在路上相遇，狽便對狼說：「你
前腿長後腿短，站起來不方便；而我卻前腿短後腿長，跑
得不快。如果我們一起合作，那就不愁找不到食物了。」
從此，狼和狽就勾結在一起幹壞事，牠們常常趁著黑夜來
到羊圈前，狼就用他的後腿站在狽的背上，爬進羊圈，把
羊叼走。

出處：見《酉陽雜俎》

釋義：狼和狽合伙傷害牲畜；比喻壞人互相勾結，一同去幹壞
事。

近義：朋比為奸

357. 破釜沉舟

典故： 秦朝末年，六國舊貴族紛起叛秦，楚將項羽帶領二十萬大軍前往救助被秦軍圍攻的趙國。當軍隊渡過漳河以後，項羽下令把所有的船隻鑿沉，並把全部飯鍋都打碎，只發給每人三天乾糧，以此表示不打勝仗決不回來，非決一死戰不可。全軍將士看到船沉下了，飯鍋碎了，知道後退已無生路，便鼓足勇氣去作戰，無不以一當十，結果大敗秦軍，解救了趙國。從此，項羽聲名大振。

出處： 見《史記·項羽本紀》

釋義： 比喻下定決心去完成某一任務，義無反顧。

近義： 孤注一擲／背水一戰　　**反義：** 舉棋不定

358. 破鏡重圓

典故： 南北朝時候，南陳的樂昌公主和她的丈夫徐德言估計國家將亡，擔心夫妻將被拆散。於是公主便拿出一面寶鏡，破為兩半，約定若日後失散了，便於每年元宵，在洛陽城中賣破鏡，希望能有見面的機會。後來，陳朝被隋朝攻滅了，樂昌公主被隋將楊素擄去作為妾侍。元宵那天，公主託一個老婦人到市場去賣鏡；徐德言看到了，便在鏡面上題了一首詩。公主看到這首詩後，一直茶飯不思；楊素知道了，深為同情，便把公主交還給徐德言，讓他們夫妻重新團圓。

出處： 見《本事詩》

釋義： 比喻夫妻失散後，又再團圓；也比喻夫妻感情破裂後，又再和好復合。

近義： 重拾舊歡／言歸於好　　**反義：** 覆水難收

359. 舐犢情深

典故： 東漢末年，曹操的屬下楊修聰明過人，喜歡露才揚己，結果被曹操殺了。楊修的父親楊彪，十分悲傷，變得形容憔悴。不久，曹操見到楊彪，便問他說：「你近來為甚麼瘦得這樣厲害呢？」楊彪心裏一動，不禁流下淚來，回答道：「猶懷老牛舐犢之愛也。」意思是說，他深深地想念著自己的兒子。

出處： 見《後漢書・楊彪傳》

釋義： 老牛愛護小牛，常常用舌頭去舔小牛的身體；比喻父母疼愛子女的真摯感情。舐，舔；犢，小牛。

近義： 寸草春暉

360. 乘風破浪

典故： 南北朝時候，有一個名叫宗愨的，從小就有遠大的志向，愛好武藝，膽識過人。有一次，宗愨的叔父宗炳問他將來的志向如何，他激昂慷慨地說：「願乘長風，破萬里浪！」宋文帝時，宗愨從軍，參加征伐林邑的戰爭，立下大功，被升為左衛將軍。後來，還擔任過刺史，並封為洮陽侯。

出處： 見《宋書・宗愨傳》

釋義： 帆船借助風勢，劈開浪頭前進；比喻志向高遠，不怕困難，勇往直前。乘，趁著、借助；破，劈開。

近義： 力爭上游／一往無前　　**反義：** 畏首畏尾／急流勇退

361. 逐鹿中原

典故： 楚、漢相爭時，韓信是漢王劉邦的主將；他手下有一位謀士，名叫蒯通，勸他叛離劉邦，獨自去爭奪天下。但韓信沒有聽蒯通的話。後來，劉邦因韓信之助，打敗項羽，取得天下，隨即用計捉住韓信，以謀反的罪名殺之。臨刑前韓信仰天長歎說：「悔不聽蒯通的話，才有今天！」於是，劉邦便把蒯通抓來，要治他的罪。蒯通從容地說：「狗還忠於牠的主人呢，當時我只知道韓信，並不知道有你呀。再說，秦朝將鹿丟失了，天下英雄都來追逐牠，誰有本事誰就先得到。」劉邦覺得蒯通言之有理，就赦免了他。

出處： 見《漢書・蒯五江息夫傳》

釋義： 比喻群雄爭奪天下，即爭奪統治中國的最高權力；也用來比喻多人角逐某一重要目標。鹿，這裏象徵帝位、權力。

近義： 問鼎中原/鹿死誰手　　**反義：** 禮讓為國

362. 紙上談兵

典故： 戰國末年，趙國有一個名叫趙括的，是名將趙奢的兒子。趙括自幼愛讀兵書，談起兵法來頭頭是道，儼然像個軍事家。當時，趙國與秦國在長平交戰，趙軍的主將為老誠持重的廉頗。廉頗採取堅守的策略，兩年相持不下；趙王中了秦軍的反間計，便以趙括代廉頗為將。宰相藺相如與趙括的母親均反對無效。趙括走馬上任後，生搬硬套兵法條文，任意改變廉頗的正確戰略，致使趙軍處處被動，陷入重圍，終至全軍覆沒，趙括本人也陣亡。

出處： 見《史記・廉頗藺相如列傳》

釋義： 從兵書出發，談用兵策略；比喻空發議論，不切實際。兵，這裏指兵法。

近義： 誇誇其談　　**反義：** 身體力行

363. 紙醉金迷

典故：唐朝末年，有個名叫孟斧的醫生，曾經到宮中為皇帝看過病。後來，孟斧到四川定居，因為他羨慕皇宮的富麗堂皇，便在住宅裏闢了一個房間，裝璜得很別緻，室內的傢俱都裱上金紙，窗明几淨。有一次，他的朋友進了這個房間，回家後遇人便說：「在孟醫生那個房間裏歇息片刻，就會使人金迷紙醉。」

出處：見陶谷《清異錄》卷三

釋義：原意是指房屋裝璜得太華麗了；後多用來形容令人沉迷的奢侈豪華生活。

近義：燈紅酒綠　　**反義**：清茶淡飯

364. 家徒四壁

典故：司馬相如是西漢時候著名的辭賦家，文彩風流，又精通音律。有一次，臨邛富豪卓王孫請相如到家中作客，剛好卓王孫的女兒卓文居新寡，在家中偷聽他彈琴，對他產生了愛慕之情。相如亦聞文君貌美聰慧，對她有意。可卓王孫堅決反對女兒與相如結合，於是兩人便在一天晚上私奔到了成都相如家中，文君見除了四堵牆壁外，空蕩蕩的，一無所有。文君並不介意，她變賣首飾，租了一間小店，與相如賣酒營生，相如跑堂，文君親自當爐，生活過得挺寫意的。

出處：見《史記·司馬相如列傳》

釋義：家裏僅有四堵牆壁；形容極其貧困，一無所有。徒，只有。

近義：一貧如洗　　**反義**：金玉滿堂

365. 海市蜃樓

典故：古書上記載：濱海的<u>山東</u><u>蓬萊</u>一帶，春夏間雨後天晴，
海面風平浪靜，波濤不興，有時偶然可以遙見海天之際，
隱隱約約有城廓樓台出現，其中還恍惚有來來往往的行
人。這種神奇怪趣的現象，稱為「海市蜃樓」。用科學來
解釋，這是大氣中光線的折射作用，把遠處的景物反映到
空中而形成的景象。

出處：見《史記・天官書》/<u>沈括</u>《夢溪筆談》

釋義：海天之際隱隱約約的城廓樓台；比喻虛幻的事物。蜃，大
蛤；蜃樓，蜃氣結成的樓台之狀。

近義：鏡花水月/空中樓閣

366. 海不揚波

典故：古代<u>中國</u>在<u>商朝</u>滅亡後、<u>周朝</u>初建的時候，曾經出現過政
治清明、天下大治的盛世，即史家所稱許的「<u>成康之
治</u>」。當時，遠在今<u>越南</u>南部的<u>越裳國</u>國王，也來朝貢，
進獻白雉，並讚頌說：「海不揚波者三年矣，意者<u>中國</u>其
有聖人乎！」意思是，海上不見狂風大浪已有三年了，相
信是<u>中國</u>出了聖人。

出處：見《尚書》

釋義：大海不起波浪；比喻太平盛世。

近義：河清海晏　　**反義：**滄海橫流

367. 秦晉之好

典故： 秦秋時候，秦國與晉國，是相鄰的兩個強國。兩國之間，
　　　　爭奪霸權，矛盾重重，有時還出兵對陣，打起仗來。可另
　　　　一方面，兩國因利害關係，有時又互相聯合，甚至彼此通
　　　　婚，結為親家。例如，春秋五霸之一的秦穆公，他的夫人
　　　　便是晉獻公的女兒；晉獻公的兒子晉文公，也是春秋五霸
　　　　之一，則娶秦穆公的女兒為妻。

出處： 見《東周列國志》

釋義： 比喻兩姓聯姻，結成姻親關係。秦晉，指春秋時代的秦
　　　　國和晉國。

近義： 二姓合婚

368. 泰山北斗

典故： 韓愈是唐代偉大的文學家。他反對魏晉南北朝以來追求
　　　　形式的駢偶文風，主張繼承先秦兩漢古文內容充實的優
　　　　良傳統，並身體力行，寫作了許多古文，文情並茂，氣勢
　　　　雄健，是為中唐古文運動的倡導者和推動者，名列唐宋
　　　　八大家（古文家）之首，對後世留下深遠的影響。學者對
　　　　韓愈深深景仰，把他看作高大的泰山和指示方向的北斗星
　　　　一樣。

出處： 見《新唐書·韓愈傳》

釋義： 像泰山那樣巍峨高聳，似北斗那樣給人方向；稱頌道德文
　　　　章出類拔萃，可以奉為楷模的人。泰山，主峰在今山東省
　　　　泰安縣，為五岳之一；北斗，即大熊星座，共七顆星，列
　　　　作有柄的斗形。

近義： 萬世師表

369. 酒池肉林

典故：商朝的末代君主紂，是歷史上有名的暴君，荒淫無道，窮
奢極侈。紂王在沙丘大建園苑池台，在池塘裏裝滿酒，把
肉掛在四週的樹梢上，以便一面遊玩，一面隨意吃喝。同
時，還叫裸體男女在酒池中追逐嬉戲，讓樂師吹奏靡靡的
樂曲，他就在池邊飲酒作樂。

出處：見《史記·殷本紀》

釋義：以酒為池，以肉為林；形容極度的鋪張和荒淫的生活，也
形容酒肉極多。

近義：花天酒地

370. 袖手旁觀

典故：柳宗元與韓愈都是唐代偉大的散文家。柳宗元一生在仕途
上很不得意，他死後，韓愈寫了一篇祭文，文中有這樣兩
句：「不善為斫，血指汗顏；巧匠旁觀，縮手袖間。」意
思是，不善於砍削的木匠，做起活來，手指傷了，渾身冒
汗；技藝精巧的木工，則站在一旁，把手縮進袖子裏悠閒
地觀看。說明得到朝廷重用的人不一定有真本領，而真正
有本領的人卻往往被閒置。

出處：見《昌黎先生集·祭柳子厚文》

釋義：雙手縮在袖子裏，在一旁觀看。形容置身度外，不過問，
不參與，不協助。

近義：隔岸觀火　　**反義**：患難與共

【十一畫】

371. 梨花帶雨

典故：唐玄宗寵愛楊貴妃，演成了一齣愛情悲劇。楊貴妃被處死後，唐玄宗心中始終放不下，輾轉思念。詩人白居易在《長恨歌》中，用浪漫主義的手法，讓一個道士充當唐玄宗的使者，上天入地尋找楊貴妃的魂魄，終於在海上虛無縹緲的仙山上找到，而讓楊貴妃以「玉容寂寞淚闌干，梨花一枝春帶雨」的美麗形象在仙境中再現，殷勤迎接這位皇家使者，含情脈脈地請他代為答謝唐玄宗。

出處：參見「306・秋雨梧桐」/《白氏長慶集》

釋義：原是形容梨花帶著雨點，更加嬌嬈可愛；也用來比喻穿著素色衣裙的女子，哭得像淚人兒一般。

近義：雨打梨花/牡丹含露

372. 雪中送炭

典故：宋太宗時候，有一年春天，突然下起大雪來，汴京城裏，雪深數尺，天寒地凍。太宗在皇宮中產生了惻隱之心，就派官員拿著糧米和木炭，分送給那些孤苦零丁的老人和貧窮人家，讓他們有米做飯，有炭生火取暖。這件事，轟動了京城，老百姓都稱讚太宗仁慈愛民，歷史學家把它作為一項美政載入史冊。

出處：見《宋史・太宗紀》

釋義：比喻在別人有困難或急需時給予幫助。

近義：雨中送傘/久旱甘露　　**反義：**雪上加霜/落井下石

373. 得隴望蜀

典故：東漢開國初年，除了隴（今甘肅省一帶）、蜀（今四川省一帶）外，基本上全國都已統一。經過數年用兵，隴地也差不多平定了。最後，光武帝命岑彭收復蜀地，在給岑彭的信中說：「如果攻下了隴地的最後兩座城池，便再進攻蜀吧！人心總是難以滿足的，既得到隴地，自然又想得到蜀地了。」

出處：見《後漢書・岑彭傳》

釋義：既攻取了隴地，又想進佔蜀地；比喻人心不足，十分貪婪。

近義：得寸進尺／貪得無厭　　**反義：**知足常樂

374. 得意洋洋

典故：春秋時候，齊國大臣晏嬰有個車夫，平時總是坐在車篷前，顯出神氣十足的樣子。有一次，車夫這種神色給他的妻子看到了。晚上回家時，妻子便氣呼呼地說要離他而去。車夫大吃一驚，忙問為甚麼。妻子說：「晏嬰當上大官，而我看他態度非常謙遜；你只是當個車夫，卻得意洋洋。這就是我要離開你的理由。」從此，車夫態度大變，不再驕傲自滿，妻子也就沒有與他離異了。

出處：見《史記・管晏列傳》

釋義：形容自滿自足、十分神氣的樣子。

近義：神采飛揚／沾沾自喜　　**反義：**垂頭喪氣

375. 得意忘形

典故：晉代有一個名士，叫做阮籍；他和稽康、山濤等七個名士，合稱「竹林七賢」。他們為人都不拘禮節，放浪形骸，經常在一個竹林裏閑談、狂飲、作詩、彈琴，高興時就縱聲大笑，不高興時就痛哭一場。而阮籍本人最是出格，哭笑無常，在高興時更會失去常態，忘乎所以。

出處：見《晉書·阮籍傳》

釋義：形容人高興得失去常態，連自己是甚麼樣子都忘了。

近義：得意洋洋/洋洋自得　　**反義：**悲慟不已/灰心喪氣

376. 得過且過

典故：傳說古代五台山上有一種鳥，身長一尺多，四隻腳，長有肉翅，是蝙蝠中較大的一種，叫做「寒號鳥」。每當盛夏的時候，寒號鳥身上便長滿斑斕絢麗的羽毛，於是牠便得意地鳴叫：「鳳凰不如我，鳳凰不如我！」可是冬天一來，牠的羽毛便脫得精光，好像剛出殼的雛鳥一樣，凍得直打哆嗦。這時牠便無可奈何地哀鳴道：「得過且過，得過且過。」

出處：見陶宗儀《輟耕錄》

釋義：原指能過一天便算一天，不作長遠打算；今多形容胸無大志，不求上進，也指工作馬虎，敷衍塞責。得，能夠；且，暫且。

近義：苟且偷安/敷衍塞責　　**反義：**精益求精/兢兢業業

377. 得道多助

典故：孟子是戰國時代的儒家大師，他主張實行「王道仁政」。
一次，有人請教孟子：「天時、地利、人和，這三項在戰
爭的勝負上，哪一項重要？」孟子説：「天時不如地利，
地利不如人和。」這人又問：「道理在哪裏？」孟子回答
道：「得天時，不得地利，固然不能取勝；得天時、地
利，但不得人和，還是不能取勝。而如果得到人和，那麼
支持和幫助的人就多，所謂：『得道者多助』，就能穩操
勝券。」

出處：見《孟子‧公孫丑下》

釋義：堅持正義就能得到多方支持和幫助。道，道義、正義。

反義：失道寡助

378. 推己及人

典故：古代中國的讀書人，以儒家提倡的「忠恕」作為做人處世
的準則。在儒家經典《禮記》的「中庸」篇中有這樣的話：
「一個人，如能做到忠和恕，就離開真實的道理不遠
了。」宋代理學家朱熹作了這樣的解釋：「盡自己的心意
就是『忠』，推己及人就是『恕』。」

出處：見《四書集註》

釋義：用自己的心意推想別人的心意；指能夠設身處地為他人著
想。

近義：將心比心/設身處地

379. 推心置腹

典故：漢光武帝劉秀在打天下時，有一次，打了一個勝仗，收編一批降兵降將。初時，這些降兵降將心中不安，生怕日後被劉秀消滅。劉秀得知情況後，便命令他們不必放下武器，各歸各營，不用重新整編，而劉秀只帶少數隨從前來巡視。大家見劉秀對他們一點也不戒備，就毫無疑懼而心悅誠服了。

出處：見《後漢書‧光武帝紀上》

釋義：把自己的心放在別人的肚腹中，比喻真誠待人。

近義：推誠相見/肝膽相照　　**反義：**虛與委蛇/虛情假意

380. 推陳出新

典故：對聯是漢語言的文字音韻與語法修辭特質形成的文學體裁。其中，有一類對聯是作者別出機杼，從詩文名篇中集句而成的，令人耳目一新，歎為觀止。關帝廟中，有一副對聯：「吳宮花草埋幽徑，魏國山河半夕陽。」這就是前人集李白詩「～，晉代衣冠成古丘」(《登金陵鳳凰台》)的出句與李益「漢家簫鼓空流水，～」(《同崔邠登鸛雀樓》)的對句而成的。聯語上下相得益彰，說盡吳宮桑滄與魏國興衰，與關羽的故事密切相關。清人戴延年盛讚這一集句聯「推陳出新，饒有別致」。

出處：見戴延年《秋燈叢話‧忠勇祠聯》

釋義：指對舊事物剔除其糟粕，吸取其精華，使它向新的方向發展。推，排除；陳，陳舊。

近義：除舊布新/破舊立新　　**反義：**抱殘守缺/因循守舊

381. 從善如流

典故： 春秋時候，楚國進攻鄭國，晉國派樂書領兵救鄭。楚軍見晉軍來勢兇猛，就主動撤退回國，晉軍打算乘勢進攻楚的盟國蔡。樂書部下許多將領都表示贊成，但知莊子等三人認為這樣做是不義的，加以勸阻。樂書終於採納了知莊子的意見，放棄攻打蔡的想法，帶兵回國。史書上記載了這件事，稱讚樂書從善如流，能採納正確意見，非常難得。

出處： 見《左傳·成公八年》

釋義： 形容樂於接受別人的正確意見。善，好的、正確的；流，流水。

近義： 虛心納諫　　**反義：** 拒諫飾非／剛愎自用

382. 捨本逐末

典故： 戰國時候，齊王派大臣出使趙國，拜見趙威后。趙威后問齊國的使者說：「你們齊國的年成好嗎？百姓好嗎？國君好嗎？」齊使認為趙威后沒有先問國君，而先問年成和百姓，很不高興。趙威后解釋說：「如果沒有好年成，哪有百姓的好日子過？如果沒有百姓，哪有國君？因此我這樣問。難道要我捨本問末、本末倒置嗎？」

出處： 見《戰國策·齊策四》

釋義： 比喻拋棄了根本的、主要的東西，而追求枝節的、次要的東西。捨，放棄；逐，追求。

近義： 本末倒置　　**反義：** 強幹弱枝

383. 強弩之末

典故： 西漢初年，對匈奴採取和親之策。漢武帝即位後，匈奴派使者前來請求繼續和親。武帝召集大臣商議。曾在邊境地區任官的大臣王恢主張派兵討伐，而御史大夫韓安國則認為派兵討伐，不如仍守和親之策。他說：目前匈奴兵強馬壯，而且流動不定，很難馴服；如果我們千里遠征，一定會人馬疲乏；以疲乏的人馬，去對付強盛的兵力，那就好比「強弩之末，不能入魯縞」（即使是強弓射出的利箭，到最後的射程，就連魯國出產的那種薄綢也不能穿過）。武帝覺得韓安國的話有道理，就暫時答應與匈奴和親。

出處： 見《漢書・韓安國傳》

釋義： 強弓所發出的箭，到了最後一段射程，就沒勁了；比喻力量已近衰竭，再沒有多大作用。弩，有機械裝置的強弓。

近義： 大勢已去　　**反義：** 勢不可擋

384. 問道於盲

典故： 唐代文學家韓愈，講求治學的方法，深明學習是要循序漸進的；但有一位學生卻寫信給韓愈，請教治學的捷徑。韓愈認為求學根本沒有甚麼捷徑可走，便不客氣地回覆說：「你問我這樣的問題，真是找錯了人，就好比向盲人問路一樣。」

出處： 見《昌黎先生集・答陳生書》

釋義： 向瞎子問路，比喻向一無所知的人請教。常用作謙辭。

近義： 借聽於聾

385. 莫逆之交

典故： 傳說古時候有三個人，名叫<u>子桑戶</u>、<u>孟子反</u>、<u>子琴張</u>，他
們在一起談論朋友之道，認為：交朋友不應該存有目的，
互相幫助時也不要讓對方知道，友誼應至死不渝。三個人
相視而笑，內心一致認同，於是成為感情投合的好朋友。

出處： 見《莊子‧大宗師》

釋義： 指情投意合的好朋友。莫逆，感情投合、沒有牴觸。

近義： <u>管鮑</u>之交/刎頸之交　　**反義：** 爾詐我虞

386. 鹿死誰手

典故： <u>五胡</u> <u>十六國</u>時期，<u>後趙</u>的君主<u>石勒</u>（羯族人）是個梟雄，
頗有才幹，也頗為自負。有一次，他在宴會上與人傾談時
說：「我如果遇到<u>漢高祖</u> <u>劉邦</u>，定會心甘情願成為他的臣
下，聽從他的指揮；可是，如果遇到的是<u>光武帝</u> <u>劉秀</u>的
話，則要與他在<u>中原</u>競逐一番，那還不知道鹿會死在誰手
上呢？」

出處： 見《晉書‧石勒載記》

釋義： 原比喻最高統治權力落在誰的手裏；現多用來比喻難於預
料誰勝誰負。

近義： 逐鹿<u>中原</u>/勝負未卜　　**反義：** 穩操勝券

387. 魚目混珠

典故： 傳說古時候有一個名叫壽量的人，很喜歡珍珠。一次，偶然在路上揀到一顆很大的魚目，竟以為是珍珠，便把它嚴密地收藏起來。後來，他得了大病，醫師認為要以珍珠來製藥服用才能痊癒，他便取出「珍珠」，這時大家才發現是顆魚目，原來壽量是把魚目當珍珠了。

出處： 見《玉清經》

釋義： 把魚的眼珠子摻雜在珍珠裏面；比喻以假亂真。混，混同、冒充。

近義： 濫竽充數／以假亂真　　**反義：** 涇渭分明／貨真價實

388. 欲速不達

典故： 據說古時候，有人挑著一擔橘子要進城去，因為天快黑了，他怕城門關閉進不了城，心裏著急。這時恰巧有一個人向他走來，他就問：「你說我能趕得及進城嗎？」那人見他慌慌忙忙的樣子，便答道：「你要是慢慢走，可能趕得及。」挑橘子的人聽了很生氣，以為那人故意開玩笑，便急步往前走。不料一不小心，摔了一跤，橘子滾滿一地。他急忙拾橘子，一個一個地往籮筐裏裝。等到拾完橘子時，天已大黑，城門早已關上，他終於沒能趕進城。

出處： 見馬時芳《朴麗子》

釋義： 做事過於性急，想要加快速度，反而達不到目的。

近義： 拔苗助長／一蹴而就　　**反義：** 按部就班／循序漸進

389. 張冠李戴

典故：明朝時候，社會上流行這樣一句諺語：「張公帽撥在李公頭上。」有人就這句諺語而作了一篇文章，說出了這樣的道理：不同的事物，往往適合不同的對象，如果硬把適合姓張的帽子戴到姓李的頭上，就只會弄巧反拙，惹來笑話。

出處：見田藝衡《留青日札·張公帽賦》

釋義：姓張的帽子給姓李的戴上；比喻弄錯了對象和事實。冠，帽子。

近義：混淆不清

390. 國色天香

典故：唐朝時候，有一次，文宗皇帝在近臣程修己的陪同下，到御花園賞花。這時，正值園中百花齊放，姹紫嫣紅，爭妍鬥麗，其中尤以牡丹最為嬌艷。文宗邊欣賞，邊問程修己道：「近日京城裏傳唱牡丹詩，誰可稱第一？」程修己回答說：「中書舍人（官名）李正封的《詠牡丹》一詩有這樣兩句：『國色朝酣酒，天香夜染衣。』」（清晨賞花飲酒，盡興盡情；晚上歸來，衣袖尚帶著花香）。文宗聽了，讚歎不已。

出處：見李濬《摭異記》

釋義：指色香俱佳的牡丹花；也借指漂亮的女子，或形容女性的艷麗。

近義：國色天姿/傾國傾城　　**反義：**其貌不揚/面目可憎

391. 掩耳盜鈴

典故：傳說古時候有一個人想把人家的大鐘偷走，可是這鐘太大，怎樣也搬不動。他便找來一個大錘子，希望把鐘砸碎，再一塊一塊地運走。但他用錘子一敲，鐘就響了起來。他怕人家知道他偷東西，便趕忙用手掩住耳朵，以為自己聽不到鐘聲，別人也不會聽見。

出處：見《呂氏春秋・自知》

釋義：想偷鈴卻怕鈴聲響驚動別人，就用手搗住自己的耳朵；比喻自己欺騙自己。

近義：自欺欺人／掩目捕雀

392. 趾高氣揚

典故：春秋時候，楚國的大將屈瑕帶兵去攻打羅國。起程時，大臣鬥伯比為他送行，屈瑕表現得很驕傲，腳抬得高高的，擺出一副不可一世的樣子。送走屈瑕後，鬥伯比向他的車夫說：「屈瑕今次必定會失敗的，你看他這麼高傲，又怎會把敵人放在心上呢？」果然，屈瑕的軍隊很快便遭到慘敗，屈瑕亦自縊身亡了。

出處：見《左傳・桓公十三年》

釋義：走路時腳抬得很高，神氣十足；形容驕傲自大、得意洋洋的樣子。

近義：飛揚跋扈／不可一世　　**反義**：低聲下氣／卑躬屈膝

393. 望梅止渴

典故：東漢末年，曹操帶領軍隊作戰，途經一個無水的荒原，將士因口渴而懶洋洋不想趕路。曹操很著急，他心生一計，便大聲說：「看！前面有一大片梅林，正是梅子成熟時，梅子又大又酸，可以解渴。」將士們聽了，想到梅子的酸味，人人口水直流，也就不覺得渴了。於是大家都自動向前趕路，終於走出了這個荒原。

出處：見《世說新語・假譎》

釋義：比喻願望無法實現，只好拿幻想來安慰自己。

近義：畫餅充飢　　**反義：**如願以償

394. 望洋興歎

典故：傳說中的河伯，是黃河之神。有一年秋天，雨水特別多，黃河中的水漲得滿滿的，河面變得十分寬闊，波濤洶湧，極為壯觀。河伯於是沾沾自喜，以為他是天下最了不起的了。得意之餘，河伯也想到別處看看，便順流而下，到了北海（渤海）。向東一望，但見白浪滔天，無邊無際。這時，河伯才感到慚愧，抬起頭來，仰天向著海若（北海之神）歎息說：我原先自以為了不起，現在看到你這樣博大無窮，真是長見笑於大方之家了。

出處：見《莊子・秋水》

釋義：比喻做事時力量不夠或缺乏條件而感到無可奈何。望洋，抬起頭來看的樣子；興歎，發出感歎。

近義：無可奈何/束手無策

395. 專心致志

典故：古時候，有一個故事，說的是聞名全國的棋手<u>弈秋</u>，教兩個學生下棋。其中一個學生專心學習，用功琢磨，認真地聽從老師的指點。另一個呢，表面看來，似乎也在那裏跟著老師學，其實思想卻開了小差，一心盼望著半空中能有一隻天鵝飛過，他將彎弓搭箭把牠射下來，大吃一餐。結果，雖然這兩個學生同樣跟一個名師學習，但由於專心致志與用心不專的緣故，成效卻大不相同：一個學到了老師的棋藝，另一個則沒有收穫。

出處：見《孟子・告子上》

釋義：一心一意，聚精會神。致，盡；志，心意。

近義：全神貫注／心無旁騖　　**反義：**心不在焉／三心兩意

396. 梁上君子

典故：<u>東漢</u>時候，有一個名士，名叫<u>陳寔</u>，為人宅心仁厚。一天夜裏，有個小偷溜進<u>陳寔</u>家裏，躲在梁上。<u>陳寔</u>發現了，並不聲張，而是把子侄叫來，大聲對他們講做人的道理，藉以感化這個小偷。他說：「一個人要自覺上進，不能走歪路。做壞事的人，並不是生來就壞，壞習慣是慢慢養成的。好像我們頭上那位『梁上君子』，不就是這樣的嗎？」這個小偷句句聽得真切，內心十分愧疚，便從屋梁上跳下，匍匐在地，向<u>陳寔</u>求饒。<u>陳寔</u>並沒有處罰他，而是對他開導一番，然後送他兩匹絹，叫他去做點小生意。

出處：見《後漢書・陳寔傳》

釋義：指盜賊；有時也借指上不露天、下不著地的脫離實際的人。

近義：江洋大盜　　**反義：**正人君子／仁人君子

397. 唯我獨尊

典故： 佛教始祖釋迦牟尼原是一個王子。傳說他降生時，一不哭，二不叫，雙腳穩立地上，一隻手指著天，一隻手指著地。過了一會兒，他又邁開雙腳，環行七步，兩目炯炯，觀看四方。而後，他就大聲說道：「天上地下，唯我獨尊。」意思是說，普天之下，只有我一個人會受到尊敬。在場的人，看到這種情狀，無不感到驚奇。

出處： 見釋道原《景德傳燈錄》

釋義： 只有自己最尊貴；形容極其高傲。唯，唯獨、只有。

近義： 自命不凡／妄自尊大　　**反義：** 妄自菲薄／自輕自賤

398. 異曲同工

典故： 司馬相如與揚雄，同是漢代著名的文學家。他們兩人，同樣擅長寫辭賦，又同樣是四川 成都人，還恰巧同樣都口吃，口才不好而文筆絕佳。唐代文學家韓愈稱讚司馬相如與揚雄的文章有「異曲同工」之妙，意思是說，他們兩人的文章，好比音樂一樣，雖然曲調不同，其工巧卻是一樣。

出處： 見《昌黎先生集‧進學解》

釋義： 不同的曲調而同樣工巧；比如不同的作品同樣出色或不同的做法收到同樣的效果。曲，曲調；工，精巧。

近義： 異代同調／殊途同歸

【十二畫】

399. 程門立雪

典故：楊時是北宋時候的一個理學家，非常勤奮好學，而且尊師重道。他與同學游酢，在中了進士後，還拜當時的理學大師程頤為師。相傳有一次，楊時和游酢在讀書時碰到一個疑難的問題，為了儘快弄清楚，他們便冒著鵝毛大雪，一同去向老師請教。兩人來到程家門口，聽說老師正靜坐閉目養神，為了不打擾他，便恭恭敬敬地站在門口等候。待程頤醒來時，門外的雪已積了一尺多厚。

出處：見《宋史・道學傳二・楊時》

釋義：在大雪紛飛的嚴寒天氣下，站在程頤家門口候教，比喻尊敬老師，誠心求學。

近義：尊師重道　　**反義：**離經叛道

400. 畫蛇添足

典故：戰國時候，楚國有一個貴族，在祭祀完畢後，把一壺酒賞給幾個僕人喝，但酒少人多，大家便協議比賽畫蛇，誰畫得最快最像，便可喝這壺酒。不一會，有個人先畫好了，便取過酒壺；但見到其他人還未完成，便繼續為已畫好的蛇添上四隻腳。可這個人還沒有把蛇腳畫完，另一個人已經把蛇畫好，便一把搶過酒壺說：「蛇並沒有腳，你畫的並不是蛇，這壺酒應歸我喝。」其他人都表示同意。結果，那個畫蛇添足的人得不到酒喝。

出處：見《戰國策・齊策二》

釋義：畫蛇添上四隻腳；比喻做多餘的事，反而不恰當。

近義：多此一舉／弄巧反拙　　**反義：**畫龍點睛／恰到好處

401. 畫龍點睛

典故： 南北朝時的畫家張僧繇，善於畫龍，他畫的龍與真的龍沒有甚麼分別。據說有一次，他在牆壁上畫了四條龍，只是不把眼睛畫上，並說如果畫上眼睛，所畫的龍就會飛走。人們以為他是在自誇，爭著要求他畫上眼睛；於是他為其中兩條龍點上眼睛。不料他才點上眼睛，這兩條龍竟立即飛到天上去。

出處： 見張彥遠《歷代名畫記》

釋義： 畫完龍之後，再把眼睛點上；比喻在原來文章、繪畫的最重要地方加上一筆，使其內容更傳神。

近義： 恰到好處／一語破的　　**反義：** 畫蛇添足／弄巧反拙

402. 畫餅充飢

典故： 三國時候，魏明帝之朝有一個忠實的大臣，名叫盧毓。一次，明帝想找一個合適的人擔任中書郎，便命盧毓推薦，並且告訴他：「選舉莫取有名，名如畫地作餅，不可啖也。」意思是說，選拔人才，不能單憑虛聲美名；名聲好比是畫在地上的餅，是吃不得的。

出處： 見《三國志・魏書・盧毓傳》

釋義： 畫個餅來解餓；比喻所作所為，無補於事，或用空想來安慰自己或別人。

近義： 望梅止渴　　**反義：** 如願以償

403. 揭竿而起

典故： 秦朝末年，有一批被派往漁陽（今北京 密雲西南）的戍卒，途中遇到連日暴雨，滯留在大澤鄉（今安徽 宿縣境），不能如期趕到目的地。按照秦朝的法律，戍卒誤期都要處死。為了死裏求生，他們便在其中兩個小隊長陳勝、吳廣的領導下，「斬木為兵，揭竿為旗」（用木棍作兵器，以竹竿為旗幟），奮起反抗秦朝的統治。

出處： 見《史記·陳涉世家》／賈誼《過秦論》

釋義： 高舉用竹竿做的旗幟起事；泛指農民起事。

近義： 鋌而走險　　**反義：** 引頸就戮

404. 量體裁衣

典故： 據說清朝時候，北京城裏有個裁縫師傅，手藝很好。每當他替人裁衣時，量度身材定尺寸，不僅注意顧客的身材，而且對於性情、相貌特徵，都仔細觀察，甚至對於中舉遲早、仕途順逆等，也要加以打聽。有人覺得奇怪，問他打探這些有甚麼用，他說：「光從衣服長短來看，少年中舉的，難免驕傲一些，走路時一定挺起胸膛，因此這種人要前長後短，穿起來才稱身；至於老年中舉的，大多壯志消磨，彎腰曲背，這種人則要前短後長。」

出處： 見錢泳《履園叢話》

釋義： 按照身材的高矮胖瘦裁剪衣服；比喻根據實際情況辦事。量，量度；體，身材。

近義： 看鍋吃飯／度身定做　　**反義：** 削足適履

405. 華而不實

典故：春秋時候，晉國大夫陽處父路過寧邑，住在一家旅店裏。
店主寧嬴見陽處父相貌堂堂，談吐不凡，便慇懃款待，並
徵得陽處父的同意，要跟著他謀個前程。但寧嬴隨陽處父
上路後，中途又折回店中。他的妻子覺得奇怪，寧嬴解釋
說：「我發現陽處父為人華而不實，擔心跟著他不但得不
到甚麼好處，反而會帶來禍害，所以就離開他回來了。」

出處：見《左傳・文公五年》

釋義：只開花，不結果；比喻外表好看，內裏空虛。華，開花；
實，結果。

近義：虛有其表／有名無實　　**反義**：實而不華／名副其實

406. 虛無縹緲

典故：中國古代的詩文，受道教神仙之說的影響，經常描繪神仙
的境界。其所出現的仙山，多是隱隱約約，若有若無；山
上的仙子，則是實實虛虛，似真似假。唐代詩人白居易，
在《長恨歌》中，就出現了這樣的情境：「忽聞海上有仙
山，山在虛無縹緲間。樓閣玲瓏五雲起，其中綽約多仙
子。」意思是說，忽然聽說海上有一座仙山，山在虛無縹
緲之中；中有雲蒸霞蔚的美麗樓閣，樓閣裏有許多豐姿秀
質的仙女。

出處：參見「371 梨花帶雨」／《白氏長慶集》

釋義：形容虛幻縹茫，或毫無根據，不可靠，不現實。縹緲，隱
隱約約，若有若無。

近義：捕風捉影／荒誕無稽　　**反義**：鑿鑿有據／信而有徵

407. 虛張聲勢

典故： 古典小說《紅樓夢》裏有這樣一個情節：應天府（南京）知府賈雨村，剛上任就遇到一宗人命案。這宗案件的元兇是當地惡霸薛蟠，薛蟠是榮國府賈政的外甥，而賈政對賈雨村有恩。賈雨村的一個老相識葫蘆僧深知這宗案件內情複雜，如何處理，關係到賈雨村的仕途命運，便向賈雨村獻計，要他「虛張聲勢」，捉拿犯人，然後暗中開脫，了結此案。賈雨村依計而行，很快便破了此案，從而得到賈政的賞識。

出處： 見《紅樓夢》第四回

釋義： 本來沒有甚麼實力，卻故意張揚聲威和氣勢。虛，空；張，張揚、誇大。

近義： 故弄玄虛　　**反義：** 不動聲息

408. 無可奈何

典故： 晏殊是北宋的著名詞人。他的詞，多表現詩酒生活和悠閒情致，清新婉麗。其中，《浣溪沙》一詞，抒寫暮春三月的情境和詞人的感受，有這樣兩句：「無可奈何花落去，似曾相識燕歸來。」意思是說，花兒凋落，春光流逝，這是自然規律，惋惜流連也無濟於事；但在美好的事物消逝的同時也有美好事物的再現，那翩翩歸來的燕子不就像是去年曾在此處安巢的舊時相識嗎？這兩句對仗工巧而意蘊深厚，傳誦千古。

出處： 見晏殊《珠玉詞》

釋義： 不得已，沒有一點辦法。奈，奈何，即如何、怎麼辦。

近義： 無計可施/百般無奈　　**反義：** 操縱自如/應付裕如

409. 開卷有益

典故： 北宋時候，太宗皇帝命李昉等人編了一部百科全書式的類書，書名開始稱《太平總類》。據說此書編成後，太宗每天都要閱覽幾卷，不管國事多忙，從不間歇。有人認為這樣太辛苦了，太宗卻說：「開卷有益，我一點也不覺得勞累。」由於這部書得到太宗的喜愛和閱覽，因此後來他把書名改為《太平御覽》。

出處： 見王闢之《澠水燕談錄》

釋義： 只要打開書讀，就能得到益處。卷，書本。

410. 開天闢地

典故： 傳說遠古時代，天和地沒有分開，宇宙是一個混沌的氣團，樣子像個大雞蛋。世界的開創者盤古，就孕育在這個大雞蛋裏。盤古好像一個胎兒，慢慢成長。經過一萬八千年，他開始活動起來，找到一把斧頭，用力一劈，雞蛋似的宇宙立刻破裂了，輕清的氣體似的東西上升變成了天，重濁的雜渣似的東西下沉凝成了地，從比有了天地之分。此後，天，每天升高一丈；地，每天增厚一丈；盤古的體高也每天長高一丈。又過了一萬八千年，天已升得極高了，地也已凝得極厚了，而盤古則變成了頂天立地的巨人。

出處： 見《大平御覽》引徐整《三五歷記》

釋義： 開闢了天和地；指有史以來，也用來稱頌偉大事業的開創和完成。

近義： 一元復始

411. 惡貫滿盈

典故： 從前，有一個老實人，在他隔壁住著一個非常粗暴橫蠻的
鄰居。這個老實人心裏日夜不安，就決定賣掉房屋，搬到
別處去住。這時，有人勸他說：「不用急，那個傢伙壞事
已經作夠，末日就要來到了，你就再等一等吧！」老實人
回答說：「我就是怕他拿我來補足所做惡事的數目啊！」
結果，還是搬了家。

出處： 見《韓非子·說林》

釋義： 罪惡極多，就像穿銅錢一樣，已經穿滿了一根繩子；形容
罪大惡極，已到末日。貫，穿錢的繩子；盈，滿。

近義： 罪惡滔天/罪大惡極　　**反義：** 勞苦功高/功德無量

412. 短兵相接

典故： 楚漢相爭時，漢王劉邦攻佔了楚都彭城，楚霸王項羽指
揮軍隊反撲，漢軍大敗，劉邦向西逃走。這時，楚國大將
丁公緊緊追逼，漢軍無法擺脫，雙方在短距離內進行搏
鬥。劉邦非常著急，一邊逃跑，一邊回頭對丁公說：「你
我都是英雄，何必苦苦相逼呢！」丁公聽後，就賣個人
情，不再追趕，讓劉邦逃脫。

出處： 見《史記·季布欒布列傳》

釋義： 比喻雙方在短距離內進行搏鬥；也比喻雙方面對面進行尖
銳論戰。兵，兵器；接，交戰。

近義： 針鋒相對　　**反義：** 犯而不校

413. 割席絕交

典故： 東漢時候，管寧和華歆是兩個好朋友，他們常常坐在一張席子上讀書。有一次，當他們讀書讀得入神時，門外突然鼓聲大作，原來是有官員路過。管寧若無其事，如常讀書，但華歆卻立即放下書本，走出門外觀看。回來時，華歆發覺席子已被割開，管寧坐在另一半席子上對他說：「你這個貪戀富貴的人，從今以後，不再是我的朋友了。」

出處： 見《世說新語‧德行》

釋義： 割斷席子分開坐，表示與朋友志趣不同，斷絕交情。

近義： 割袍斷義　　**反義：** 重修舊好

414. 煮豆燃萁

典故： 三國時候，魏文帝曹丕迫害他的弟弟曹植，命令曹植在七步內作一首詩，如果作不好就要治他的罪。曹植知道哥哥想陷害他，心裏很悲憤，立即作了一首詩，以燃燒豆萁來煮豆的情形諷喻曹丕對他的迫害。曹丕聽到那首詩後，心中有愧，不得不放過曹植。

出處： 參見「40‧七步成詩」/《世說新語‧文學》

釋義： 煮豆子用豆稭做燃料；比喻骨肉相殘。燃，燒；萁，豆稭。

近義： 兄弟鬩牆/同室操戈　　**反義：** 手足情深

415. 發奮忘食

典故：春秋時候，<u>孔子</u>周遊列國，路經<u>楚國</u>的<u>葉邑</u>時，<u>葉公</u>接待了他他。由於<u>葉公</u>對<u>孔子</u>的為人不很了解，便悄悄向<u>孔子</u>的學生子路探問。<u>子路</u>一時不知怎樣回答，沒有作聲。事後，<u>孔子</u>知道了，便對子路說：「你怎麼不告訴他說：『我老師的為人，用功做學問，連吃飯都常常忘記了；而且樂觀開朗，甚麼憂慮都沒有，根本就不知老年快要到來。』」

出處：見《論語・述而》

釋義：用功學習，努力工作，忘記了吃飯。

近義：廢寢忘餐　　**反義：**玩物喪志

416. 發人深省

典故：佛寺習慣上在黎明與黃昏時敲鐘，道觀在黎明時也敲鐘，而黃昏時則擊鼓。一些飽經憂患的讀書人，聽到這種古剎鐘聲或暮鼓晨鐘就會心平氣和，對人情世事深刻思考而有所醒悟。<u>唐代</u>詩人<u>杜甫</u>，在遊<u>龍門奉先寺</u>時，就有這樣的感受，因此寫下這樣的詩句：「欲覺聞晨鐘，令人發深省。」

出處：見《杜工部集・遊龍門奉先寺》

釋義：啟發人深思而有所覺悟。發，啟發；省，覺悟。

近義：茅塞頓開　　**反義：**執迷不悟

417. 琳琅滿目

典故：西晉時候，講究門第，出現了不少世家大族，其中以琅邪
王氏家族最為著名，因為王家有許多風度翩翩、功名顯赫
的人物。一天，有人曾到太尉王夷甫家中探訪，見王導、
王敦等人，回家後告訴人說：「今日眼睛所見的，盡是琳
琅珠玉般的人物。」

出處：見《世說新語‧容止》

釋義：形容各種珍貴的物品很多，目不暇給。琳琅，一種精美的
玉石，比喻珍貴的物品、美妙的文章或俊秀的人才。

近義：美不勝收　　**反義：**滿目瘡痍

418. 越俎代庖

典故：傳說遠古時代，堯帝老了的時候，準備把帝位讓給賢能的
隱士許由。許由認為用不著自己去代替，堅決推辭。他在
講了一番理由後，又打比方說：「庖人雖不治庖，尸祝不
越樽俎而代之也。」意思是說，即使廚師不管廚房的炊
事，主持祭祀的人也不能超越自己的職權去代替廚師的工
作。

出處：見《莊子‧逍遙遊》

釋義：主持祭禮的人不能越過自己的職守，放下禮器去代替廚師
辦理炊事，比喻越權辦事或搶做別人的事情。俎，古代祭
祀用的禮器；庖，廚師。

近義：包辦代替　　**反義：**安份守己/各司其職

419. 唾手可得

典故：<u>東漢</u>末年，天下大亂，地方州郡長官紛紛擁兵割據。其中，雄據<u>河北</u>一帶的<u>公孫瓚</u>，是一位勇將，曾為朝廷立過不少戰功，開始時他說：「我要奪得<u>漢</u>室政權，就像往手上吐唾沫那麼簡單！」可惜，<u>公孫瓚</u>有勇無謀，始終打不開局面，終於兵敗身死。

出處：見《後漢書·公孫瓚傳》

釋義：比喻非常容易得到的東西，也比喻容易辦成的事情。

近義：易如反掌/手到拿來　　**反義：**難於登天

420. 循循善誘

典故：<u>顏淵</u>是<u>孔子</u>得意的學生，最能理解<u>孔子</u>的教育精神和方法。他曾經感歎著說：「夫子循循然善誘人，博我以文，約我以禮，欲罷不能。」意思是說，老師善於有步驟地誘導我們，用各種文獻來豐富我的知識，又用一定規矩來約束我們的行為，使我們想停止學習都不可能。

出處：見《論語·子罕》

釋義：善於有步驟地引導別人學習，形容教導有方。循循，有次序有步驟的樣子；誘，引導、誘導。

近義：諄諄告誡/誨人不倦　　**反義：**教導無方

421. 朝三暮四

典故：莊子在一篇文章中講述了這樣一個故事：有人養了一大群
　　　猴子，他告訴猴子說，會在早上給牠們三顆栗子作食糧，
　　　而晚上就給四顆，猴子們聽了都不高興。於是，他把話倒
　　　轉過來，說早上給四顆，晚上給三顆。雖然同樣只有七
　　　顆，但猴子卻因為早上多了一顆栗子而感到很高興。

出處：見《莊子・齊物論》

釋義：原指用詐術騙人；後多用以比喻說話和做事反覆無常。

近義：朝秦暮楚/反覆無常　　　**反義：**始終如一/始終不渝

422. 游刃有餘

典故：在《莊子》一書中，曾描寫一位善於宰牛的廚師，名叫丁，
　　　也即庖丁。庖丁通過反覆的宰牛實踐，清楚牛全身的骨骼
　　　結構，掌握用刀的技巧，所以當他用刀切入牛骨節的間隙
　　　時，就感到運刀的空間非常寬闊，從來不會碰到骨頭。據
　　　說，他的刀子用了十九年還像剛剛磨過的那樣鋒利呢！

出處：見《莊子・養生主》

釋義：比喻工作熟練，有實際經驗，解決問題毫不費事。刃，鋒
　　　刃、刀鋒。

近義：駕輕就熟　　　**反義：**無從入手

423. 集思廣益

典故： 諸葛亮是三國時蜀國的丞相，主理軍國大政。他曾經寫給同僚和屬下一封公開信，開頭一句是：「夫參署者，集眾思、廣忠益也。」意思是説，參與國家的政事，必須能夠集中眾人的智慧，使工作取得更好的效果。他認為，如果大家都能坦誠而踴躍地提出建議，對於國家將有極大的好處，同時也可幫助他本人少犯些過錯。

出處： 見諸葛亮《教與軍師長史參軍掾屬》

釋義： 集中大家的意見和智慧，可以收到更大更好的效果。思，智慧；廣，多、大；益，好處、效應。

近義： 博採眾長　　**反義：** 一己之見

【十三畫】

424. 萬紫千紅

典故： 朱熹是南宋時候的理學家和教育家，也是一位詩人。他的詩作，有不少警醒清新的句子，其中，《春日》一詩有這樣兩句：「等閒識得東風面，萬紫千紅總是春。」在這裏，詩人用東風吹拂、百花爭春來描述春天的景象，成為膾炙人口的佳句。

出處： 見《朱文忠公文集》

釋義： 形容百花盛放，顏色艷麗；也比喻事物的多姿多彩或景象的繁榮美好。

近義： 姹紫嫣紅/百花爭妍　　**反義：** 慘綠愁紅/百花凋零

425. 萬象更新

典故：古典小說《紅樓夢》有這樣一個情節：<u>林黛玉</u>、<u>賈寶玉</u>及<u>大觀園</u>裏的姑娘們曾創立一個詩社，叫做<u>海棠社</u>，但停了一年沒有再活動。後來，大家準備重建詩社，剛好是春天時候，爭著說：「如今正是初春時節，萬物更新，正該鼓舞另立起來才好。」於是，便將<u>海棠社</u>改名<u>桃花社</u>，賞春賦詩。

出處：見《紅樓夢》第七十回

釋義：宇宙中一切景象都煥然一新。萬象，各種景象；更，更換、改變。

近義：煥然一新　　**反義：**依然如故

426. 萬事俱備

典故：漢末<u>三國</u>之際，北方的<u>曹操</u>帶領大軍南下，<u>東吳</u> <u>孫權</u>與<u>劉備</u>聯兵抵抗。曹軍駐紮在<u>赤壁</u>（今<u>湖北</u> <u>嘉魚縣</u>附近<u>長江</u>北岸）。<u>劉備</u>的軍師<u>諸葛亮</u>與<u>東吳</u>都督<u>周瑜</u>商定要以火攻取勝。<u>曹操</u>的兵船在西北方位，<u>周瑜</u>的兵船在東南方位，火攻時一定要吹東風才行。一切工作都準備就緒了，可這東風從何而來呢？對此，<u>周瑜</u>口中不說，但心中著急，急出一場大病。<u>諸葛亮</u>深明<u>周瑜</u>的病因，前來探望，為<u>周瑜</u>開了一個處方，即「欲破<u>曹</u>公，宜用火攻，萬事俱備，只欠東風」，並自告奮勇，要為<u>周瑜</u>「借東風」。

出處：見《三國演義》第三十九回

釋義：樣樣都準備好了。

近義：應有盡有　　**反義：**掛一漏萬

427. 萬人空巷

典故：北宋時候，詩人蘇軾在杭州做官。杭州東面錢塘江畔有個叫海寧的地方，每年八月中旬，錢塘江潮水洶湧澎湃，翻滾起伏，十分雄偉壯觀。有一年，蘇軾也來到海寧，在江邊遊玩，但見人山人海，正在等待潮水的到來，人人衣著鮮麗，有如百花爭艷似的，於是他寫下這樣兩句詩：「賴有明朝看潮在，萬人空巷鬥新妝」。

出處：見《東坡七集・八月十七復登望海樓》

釋義：形容歡迎、慶祝的盛況或民眾被某種事物吸引而聚集在一起，氣氛熱烈。

近義：人山人海　　**反義：**寥寥無幾

428. 萬馬齊瘖

典故：龔自珍是清代的思想家與文學家。他生活的時代，正是清朝由盛轉衰、政治空氣極為沉悶的時代。龔自珍所作的《乙亥雜詩》，有這樣的兩句：「九洲生氣恃風雪，萬馬齊瘖究可哀。」意思是說，中國要得救，就必須進行改革；但現在大家都啞然無聲，實在令人感慨。

出處：見《龔自珍全集》

釋義：千萬匹馬都寂然無聲；比喻時局非常沉悶，人們都不敢說話。瘖，啞，這裏指沉默、不出聲。

近義：三緘其口／噤若寒蟬　　**反義：**百家爭鳴／暢所欲言

429. 隔岸觀火

典故： 唐代有兩個僧人，法號乾康與齊己。一次，乾康前往湘西道林寺拜訪齊己，看守山門的童子說：「跟我師父交往的都是會作詩的人，請作一首絕句作為名帖。乾康沉思一下，隨口應道：「隔岸紅塵忙似火，當軒青峰冷如冰。烹茶童子休相問，報道門前是衲僧。」意思是說，對岸俗世中的人忙得風風火火，山中寺門前的人待客冷冷冰冰，沏茶的童子請不要再難為我了，你就說門前到訪的是個窮和尚。齊己聞報大喜，迎出門外，待乾康為上賓。成語「隔岸觀火」即由此詩首兩句引伸而來。

出處： 見釋乾康《投謁齊己》

釋義： 隔河觀看對岸的人忙忙碌碌；多用來比喻見人有危難不去救助，而在一旁看熱鬧。

近義： 袖手旁觀/作壁上觀　　**反義：** 見義勇為/當仁不讓

430. 路不拾遺

典故： 唐太宗貞觀年間，是中國歷史上少有的盛世，百姓安居樂業，社會治安很好。根據記載，當時有一個經過武陽的人，在路上遺失了一件衣服，走了幾十里後才發覺，心中十分著急。當地一個人勸慰他說：「不要緊，我們武陽境內，路不拾遺，你回去找，一定可以找到的。」於是，那人順著原路趕回去找，果然找到了那件衣服。

出處： 見《舊唐書》

釋義： 路上沒有人拾取別人丟失的東西據為己有；形容社會治安很好，民風淳厚。

近義： 拾金不昧/夜戶不閉　　**反義：** 拾遺不報/盜賊蜂起

431. 道聽途説

典故：從前，有一個人，在回家的路上遇到他的鄰居，對那鄰居說：「有一隻鴨子一次生了一百個蛋。」鄰居不相信。這人改口道：「可能是兩隻鴨子生的。」鄰居還是不相信。這人又改口說：「也許是三隻鴨子生的吧！」這樣一直加到十隻鴨子生的。鄰居始終不相信，於是問他：「這是你親眼看到的嗎？」這人說：「不是，是我在路上聽別人講的。」鄰居歎口氣道：「你這是道聽途説啊！」

出處：見屠本畯《艾子外語》

釋義：在路上聽來的話，指沒有事實根據的傳聞。道、途，都是道路的意思。

近義：無稽之談　　**反義：**言之鑿鑿

432. 愚公移山

典故：古時候，有個老頭兒名叫<u>愚公</u>，他的家門前有兩座大山，阻礙出入的通道。<u>愚公</u>決心把山剷平。另有一個名叫<u>智叟</u>的老頭兒，嘲笑<u>愚公</u>太愚蠢了，說他已九十來歲了，要動山上一根草都有困難，怎能剷平這兩座大山呢。<u>愚公</u>反駁說：「我雖然已經年老，但我死後，子孫代代承接，繼續這項工作，而山卻不會再增高，那又怎會剷不平呢？」<u>愚公</u>帶領著家人，每天挖山不止。這件事感動了上帝。於是，上帝便派了兩個大力神，把山揹走。

出處：見《列子・湯問》

釋義：比喻有克服困難的決心和堅定不移的毅力。

近義：<u>精衛填海</u>　　**反義：**半途而廢

433. 暗箭傷人

典故： 春秋時候，鄭莊公準備攻打許國，便在宮前檢閱軍隊。老將軍潁考叔和青年將領公孫子都，為了爭奪一輛兵車而吵了起來，結果車子被潁考叔奪去，公孫子都懷恨在心。到了攻打許國時，潁考叔奮勇當先，爬上城頭。公孫子都又恨又妒，便偷偷抽出箭來，對準潁考叔射去，潁考叔就被這一支暗箭射死了！

出處： 見《左傳‧隱公十一年》

釋義： 比喻暗地裏傷害別人。暗箭，從暗中射出的箭。

近義： 含沙射影　　**反義：** 明刀明槍

434. 嗟來之食

典故： 春秋時候，齊國發生饑荒，有一個名叫黔敖的，在路上施捨食物，賑濟饑民。有個餓得骨瘦如柴的人走過，黔敖老遠就向他呼喝道：「喂！快點來，我給你吃的。」這個人聽了，不屑一顧地説：「我就是因為不吃這種『嗟來之食』，才餓成這個樣子。」他説完便走了，終至於餓死。

出處： 見《禮記‧檀弓下》

釋義： 呼喚過來吃的飯食；指帶有侮辱性的施捨。嗟，不客氣的招呼聲，相當於「喂」。

反義： 自力更生

435. 葉公好龍

典故：傳說古時候，有個叫葉公的，非常喜歡龍，家裏到處都畫
著龍，刻著龍。天上的真龍知道了，便從天而降，來到葉
公的家，牠的頭從窗口伸了進去，尾巴纏在廳堂的樑柱
上。葉公看見了，嚇得面如土色，六神無主，趕快躲了起
來。

出處：見劉向《新序·雜事》

釋義：原來比喻表面上愛好某事物，但並非真正愛好它，甚至抱
畏懼的心理，害怕它會成為現實；現多用來比喻和諷刺那
些言行不一致的人。

近義：沽名釣譽/口是心非　　**反義**：表裏如一

436. 塞翁失馬

典故：據說，古時候有一個住在邊塞地區的老頭兒，他的馬無緣
無故地走失，跑入胡人的地方，人人都以為無法追回了，
感到很可惜。可是過了不久，這匹馬竟把一隻胡地的駿馬
帶回來，大家不禁喜出望外。

出處：見《淮南子·人間訓》

釋義：比喻雖然暫時受到損失，但也可能因此得到好處，有壞事
變成好事之意。塞，邊塞、邊境；翁，老頭子。

近義：亡羊得牛/因禍得福　　**反義**：福中有禍/樂極生悲

437. 頑石點頭

典故：晉朝時候，僧人竺道生潛心研究佛學。當時《涅槃經》剛
剛傳入中國，竺道生從自己的研究中推論出最愚頑的人也
有佛性的理論，可是當時的人都不大相信他。於是，他便
在隱居的虎丘山下，向著一列石頭講經說法，因為他實在
講得太好了，連石頭也點頭稱是。

出處：見《蓮社高賢傳》

釋義：形容道理講得透徹，連愚笨或保守的人也心悅誠服。頑
石，沒有知覺的石頭。

近義：心領神會　　**反義：**冥頑不靈

438. 蜀犬吠日

典故：唐代文學家柳宗元，經常在他的文章中，用寓言故事來諷
諭世情，說明道理。其中，在《答韋中立論師道書》中，
有這樣一個故事：庸國和蜀國南面一帶經常下雨，以致那
裏的狗很少見到太陽；於是，一旦天放晴了，太陽出來
時，當地的狗便會覺得奇怪，對著太陽狂吠起來。

出處：見《河東先生集·答韋中立論師道書》

釋義：比喻少見多怪。蜀，四川的簡稱；吠，狗叫。

近義：小見多怪/蟬不知雪　　**反義：**司空見慣

439. 滄海桑田

典故： 傳說在<u>東漢</u> <u>桓帝</u>時，有一位得道的仙人名叫<u>王遠</u>。有一
次，他在<u>蔡經</u>家中作客，並即席表演了他的神通，召來了
一位名叫<u>麻姑</u>的仙女。這位仙女年輕貌美，看來只有十八
九歲，不料她卻說：「我當仙女已有很長的時間，曾經三
次見到東海變為桑田；剛才到<u>蓬萊</u>，又看到海水比先前淺
了，難道它又要變成平地了嗎？」

出處： 見《神仙傳‧王遠》

釋義： 大海變成了桑田，桑田又再變成大海；比喻世事變化巨
大。桑田，種植桑樹的農田。

近義： 白雲蒼狗／恍如隔世　　**反義：** 永恒不變／一成不變

440. 滄海一粟

典故： <u>蘇軾</u>是<u>北宋</u>時代傑出的文學家。他的文章中，有一篇題為
《前赤壁賦》的，寫他與友人遊覽<u>赤壁</u>，憑弔古蹟，抒發
對歷史和現實人生的感慨。他把人的生存比喻為細小的蜉
蝣寄生於廣漠的天地裏，渺小得就如茫茫大海中的一粒粟
子那樣。

出處： 見《東坡七集》

釋義： 大海中的一粒穀子，比喻非常渺小。粟，穀子，去皮後即
為小米。

近義： 太倉一粟／九牛一毛　　**反義：** 唯我獨尊

441. 與虎謀皮

典故：古時候，有一個很喜歡穿毛皮大衣和吃肉食的人，他想製
造一件狐皮大衣和吃一頓豐盛的羊肉，便跟狐狸商量，希
望牠們提供幾件狐皮；又跟羊群商量，希望牠們提供幾斤
羊肉。不料他的話還未說完，狐狸和羊便立即轉告同類，
一起躲避到深山樹林裏。結果，那人十年也沒製成一件狐
皮大衣，五年也吃不到一頓羊肉。

出處：見《太平御覽》卷二零八

釋義：和老虎商量，想要牠身上的皮；比喻拿有損對方利益的辦
法和對方商量，事情一定辦不成。本作「與狐謀皮」。

近義：與狐分食

442. 過猶不及

典故：孔子是中國古代偉大的教育家，他對每個學生的品德和能
力都瞭如指掌。有一次，子貢問及同學子張和子夏兩人，
哪一位較為賢德，孔子回答說：「子張過份了，子夏則不
夠。」子貢再問：「那麼子張比較好嗎？」孔子解釋說：
「過份就如不夠一樣，二者都是不好的。」

出處：見《論語・先進》

釋義：事情做過了頭，就像做得不夠一樣，都是不好的；也就是
說，做事應該恰如其份。

近義：欲速不達/矯枉過正　　**反義**：恰如其份/恰到好處

【十四畫】

443. 滿園春色

典故： 古代詩詞，有許多描寫園苑池台春花爛漫、紅杏獨俏的名篇佳句。其中，<u>南宋詩人葉紹翁</u>《遊小園不值》中的兩句：「滿園春色關不住，一枝紅杏出墙來」，寫得特別醒警，千百年來，膾炙人口，傳誦不歇。

出處： 見《靖逸小集》

釋義： 整個花園裏春花開遍，春色濃烈，也比喻到處都是欣欣向榮的景象。

近義： 萬紫千紅/百草千花　　**反義：** 秋風蕭瑟/百花凋零

444. 滿城風雨

典故： <u>宋代詩人潘大臨</u>，家中生活清苦。一次，他正躺在床上休息，忽然聽得窗外風雨大作，敲打著樹林，引發了詩興，便作起詩來。誰知剛寫出第一句「滿城風雨近重陽」，一個催租的人闖進門來，他的詩興便被打斷了，再也寫不下去。因此，這首詩只得一句。儘管是這樣，他還是把這句詩寄給好友<u>謝無逸</u>；而這句詩卻也成為名句流傳開了。

出處： 見釋<u>惠洪</u>《冷齋夜話·潘大臨答謝無逸書》

釋義： 原是描寫秋風秋雨的景象，後來用以比喻某種消息一經傳出，就四處轟動，議論紛紛。

近義： 眾說紛紜/議論紛紛　　**反義：** 風平浪靜

445. 賓至如歸

典故：春秋時候，鄭國大臣子產到晉國訪問，帶來了很多禮品，
晉平公態度怠慢，不派大臣迎接他。子產便命隨從把晉國
賓館的圍牆拆掉，然後把車子拉進去。晉國大臣士文伯趕
去責問子產。子產答道：「我們帶著禮物來朝會，但貴國
君主卻不接見。記得從前晉文公時，你們的賓館寬敞漂
亮，對客人招待周到，使賓客感覺像在自己家中一樣，但
現在卻完全不同。」士文伯回去向晉平公報告，平公自知
理虧，便依禮接待了子產，並下令重修賓館。

出處：見《左傳·襄公三十一年》

釋義：賓客到來，好像回到了自己家中一般舒適。

近義：倒屣相迎　　**反義**：杜門謝客

446. 圖窮匕現

典故：戰國末期，燕國太子丹派遣俠客荊軻去刺殺秦王政（即後
來的秦始皇）。荊軻扮作燕國的使者，到秦國去獻地圖。
荊軻事先將用毒液泡浸過的一把匕首卷在地圖裏面，然後
雙手捧到秦王面前，展開給他看。當地圖展示將盡時，匕
首便突然顯露，寒光閃閃。說時遲，那時快，荊軻右手搶
過匕首，左手抓住秦王；秦王奮力掙脫，危急中拔出身上
的佩劍斬傷荊軻。荊軻把匕首向秦王擲去，但沒有擊中，
終於被秦王亂劍砍死。

出處：見《史記·刺客列傳》

釋義：比喻事情發展到最後，真相畢露。圖，地圖；窮，盡；
匕，匕首。

近義：原形畢露／水落石出　　**反義**：深藏不露／諱莫如深

447. 精衛填海

典故：傳說上古時代，炎帝有個女兒名叫女娃，她在遊東海時，
不幸淹死在海裏。女娃的冤魂化成了一隻叫「精衛」的鳥。
精衛天天銜了石子和樹枝，投到東海裏去，誓要把海填
平。精衛和海燕配偶，所生的小鳥，雄的是小海燕，雌的
就是小精衛。牠們也繼續不斷地銜著石子和樹枝去填海。

出處：見《山海經‧北山經》

釋義：比喻不畏艱難，意志堅決。

近義：愚公移山／女媧補天

448. 對牛彈琴

典故：古時候，有一個音樂家名叫公明儀，他對著一頭正在吃草
的牛，彈奏了一首高雅的樂曲。牛沒有理會他，仍然低頭
吃草。公明儀靜心觀察後，發覺那頭牛根本就聽不懂這首
樂曲，於是他又重新彈了一首像蚊子、牛蠅、小牛叫喚聲
音的樂曲，那牛便立即豎起耳朵來聽。

出處：見僧祐《弘明集》

釋義：比喻向不懂道理的人講道理是沒有用的，包含有看不起對
方的意思；也用來譏笑說話不看對象，無的放矢。

近義：枉費唇舌　　**反義**：曠世知音

449. 聞雞起舞

典故：西晉時候，愛國志士祖逖與劉琨同在一個地方擔任小官。
兩人志同道合，意氣相投，都希望將來能為國家出力，建
立一番功業。他們白天在官府辦事，晚上合蓋一條被子睡
覺。每當夜半，祖逖一聽到雞叫，就將劉琨叫醒，一起到
庭院練功，拔劍對舞。春去夏來，寒來暑往，從不間斷。

出處：見《晉書·祖逖傳》

釋義：聽到雞的啼叫聲就起來舞劍；現在多用來比喻發奮學習，
自強不息。舞，這裏指舞劍。

近義：自強不息

450. 管鮑之交

典故：春秋時候，鮑叔牙和管仲是一對好朋友。他們兩人曾三次
一起去打仗，而在臨陣時，管仲竟三次逃跑掉；別人譏笑
管仲貪生怕死，鮑叔牙卻替管仲辯護，說他有年老的母親
要奉養。管仲聽了，十分感動地說：「生我的是父母，而
了解我的卻是鮑叔牙啊！」

出處：見《史記·管晏列傳》

釋義：比喻交誼深厚、互相了解的朋友。

近義：莫逆之交／刎頸之交　　**反義**：泛泛之交

451. 漸入佳境

典故： 東晉時候，有一個畫家，名叫顧愷之。據說，顧愷之十分
喜歡吃甘蔗，而他每次吃甘蔗的時候，都是由尾至頭逐節
啃的。有人覺得很奇怪，便問他為甚麼要這樣吃，他解釋
說：「這樣吃甘蔗，越吃越甜，叫做『漸入佳境』。」

出處： 見《晉書・顧愷之傳》

釋義： 比喻境況逐漸好轉或趣味越來越濃厚。佳境，美好的境
界。

近義： 穩步上揚　　**反義：** 每況愈下

452. 網開一面

典故： 商朝的開國君主湯，是一位宅心仁厚的人。相傳有一次，
商湯在野外見到獵人四面張開羅網，並祈禱說：「四面的
禽獸都入來我的網中吧！」商湯感到不忍心，便叫獵人將
網打開三面，只捕捉其中一面的野獸。其他部落的人知道
商湯的德澤及於禽獸這件事，都對他誠心歸服。

出處： 見《史記・殷本紀》

釋義： 比喻對犯罪的人從寬處理，也用來比喻做事留有餘地。原
作「網開三面」。

近義： 寬大為懷　　**反義：** 一網打盡/趕盡殺絕

453. 旗鼓相當

典故： 三國時候，有個著名的相士，名叫管輅。當時的琅邪太守單子春聽聞他的聲名，便請他到府中見面，同時還請來許多名士，管輅便問他：「今日座上的各位，都是為了與我較量而來的嗎？」單子春說：「就是我自己，也希望與你旗鼓相當呢！」

出處： 見《三國志‧魏書‧管輅傳》

釋義： 比喻雙方勢均力敵，實力不相上下。旗鼓，古代用來指揮作戰的令旗和戰鼓。

近義： 勢均力敵／棋逢敵手　　**反義：** 強弱懸殊／寡不敵眾

454. 裹足不前

典故： 戰國時候，偏處西方的秦國，經常招攬別國的人材，稱為「客卿」。秦王政初年，因為發現來自韓國的客卿懷有陰謀，於是下令，要把所有客卿驅逐出境。當時，來自楚國的李斯也在被逐之列，於是他寫了一篇《諫逐客書》，列舉歷代客卿為秦效勞的事實，指出如果因為這次事件而下令逐客，使天下的人才裹足不敢到秦國來，絕不是明智之舉。秦王政閱後，覺得很有道理，便立即撤銷了逐客令。

出處： 見《史記‧李斯列傳》

釋義： 形容心懷疑慮或畏懼，停下腳步不敢前往。裹足，用布包纏著腳。

近義： 停滯不前／畏縮不前　　**反義：** 勇往直前

【十五畫】

455. 數典忘祖

典故： 春秋末年，晉國的大臣籍談出使東周。宴席間，周景王問晉國為甚麼沒有向周王室進貢寶物。籍談回答那是因為晉國未受過王室的賞賜，所以沒有器物可獻。景王聽後深為不滿，便逐一指出晉國從始祖唐叔起受王室賞賜的事實，責備籍談「數典而忘其祖」。籍談無言可答，羞慚而退。

出處： 見《左傳・昭公十五年》

釋義： 數著典籍，卻忘記了自己的祖先；比喻忘本，也比喻對自己國家的歷史一無所知。典，典籍。

反義： 慎終追遠

456. 墨守成規

典故： 戰國時候，楚王叫公輸般（即魯班）設計和製造攻城用的雲梯，準備攻打宋國。墨子知道消息後，立即跑去勸阻楚王，且首先來一次演習：墨子解下衣帶作城牆，公輸般用木片作武器；公輸般連攻九次，都被墨子擋住。因此，楚王只好放棄攻打宋國的計劃了。

出處： 見《後漢書・鄭玄傳》

釋義： 形容思想保守，只按老規矩辦事，不求改進。墨守，戰國時的墨子善於守城，故稱善守為「墨守」；後來，「守」字一般不再指守城，而轉化為守舊，含有貶義。

近義： 陳陳相因/固步自封　　**反義：** 推陳出新/巧變百出

457. 價值連城

典故： 戰國時候，楚國人卞和得到一塊玉璞，進獻給楚厲王。怎知楚厲王誤聽工匠的話，以為是一塊普通的石頭，便對卞和施以斬斷左足之刑。厲王死後，武王繼位，卞和再獻玉璞，還是被當作石頭，武王又對他施以斬斷右足之刑。直到武王死後，文王繼位，才命令工匠剖開玉璞，結果得到一塊世間罕有的寶玉，命名為「和氏璧」。後來趙惠文王得到和氏璧，秦昭王竟提出願以十五座城池來交換，可見這方璧玉價值之高。

出處： 見《史記・廉頗藺相如列傳》

釋義： 價錢等於幾座城市；形容物品十分貴重。

近義： 稀世奇珍　　**反義：** 一文不值

458. 歎為觀止

典故： 春秋時候，吳國公子季札到魯國訪問，魯國盛情招待，特地為他演出了其所保存的虞、夏、商、周四代的樂舞。季札的欣賞能力極高，看到每一種樂舞都能給予恰當的評語，及至聽到演奏虞舜的音樂時，他讚歎說：「已經觀看到最好的了！再沒有可以比這更好的了。」

出處： 見《左傳・襄公廿九年》

釋義： 讚美所看到的事物好到了極點。觀止，看到了盡頭，比喻為最好的意思。

近義： 拍案叫絕　　**反義：** 不忍卒睹

459. 緣木求魚

典故：戰國時候，孟子晉見齊宣王，齊宣王毫不掩飾地告訴孟子，自己最大的心願就是擴張國土，作天下的盟主。可是孟子告訴宣王，如果為了達到這目的而不惜連年打仗，不施行仁政的話，那就好像是爬到樹上去找魚一樣，是不會成功的。

出處：見《孟子·梁惠王上》

釋義：爬到樹上去找魚；比喻方向、方法錯誤，不可能達到目的。緣，沿著、順著。

近義：刻舟求劍/水中撈月　　**反義：**對症下藥

460. 撲朔迷離

典故：南北朝時候，北朝流行著一首民歌，名叫《木蘭辭》，敘述女孩子花木蘭代父從軍的動人事跡。詩中說，木蘭從軍十二年，但戰友們竟完全沒有發覺她是女扮男裝的，而借兔子的比喻來解釋這種現象：兔子被提起雙耳懸空時，雄兔的四腳亂動，雌兔則眯著眼睛；倘若一雄一雌的兔子在地上一起奔跑，又怎能辨別出雄與雌呢！

出處：見《樂府詩集·橫吹曲辭五》

釋義：原指模糊不清，很難辨別是雄是雌；後來形容事情錯綜複雜，不易看清真相。

近義：錯綜複雜/眼花繚亂　　**反義：**涇渭分明/瞭如指掌

461. 請君入甕

典故： 唐朝武則天時，有兩個酷吏，一個叫周興，一個叫來俊臣。他們設計了種種慘無人道的刑法，枉殺許多好人。後來，周興密謀造反，被人告發。武則天派來俊臣審理這個案件。來俊臣知道周興不好對付，便請他來喝酒，酒至半酣，「請教」他說：「近來審理案件，有些囚犯硬是不肯招供，不知老兄有甚麼新辦法嗎？」周興回答道：「這個好辦。用一隻大甕，四面燒起火，把囚犯放進甕中，看他還招不招？」於是，來俊臣便依法佈置，然後對周興說：「你圖謀不軌，已被告發；我奉命查辦，請你入甕。」周興嚇得跪下求饒，當場認了罪。

出處： 見《資治通鑑·唐紀》

釋義： 比喻拿其人所採用的手段來施加在他自己身上；也用來比喻預先設好圈套，再誘敵人進入，加以捕捉。甕，一種陶製的口小腹大的罐子。

近義： 作法自斃

462. 養虎遺患

典故： 楚漢相爭時，經過一番較量，漢王劉邦與楚霸王項羽立約，雙方同意以鴻溝為界，中分天下；但謀士張良和陳平認為，如果就此休戰，不再追擊項羽，就等於豢養老虎，自遺後患。終於，劉邦接納了他們的建議，攻其不備，最後擊破楚軍，逼得項羽自刎於烏江。

出處： 見《史記·項羽本紀》

釋義： 比喻縱容敵人，留下後患，自己反受其害。

近義： 放虎歸山/姑息養奸　　**反義：** 斬草除根/除惡務盡

463. 樂不思蜀

典故：三國末年，蜀漢滅亡後，後主劉禪被俘虜到魏都洛陽，受封為安樂公。一日，魏國的大臣司馬昭設宴款待他，席上，司馬昭故意命樂師吹奏蜀國的音樂，當時跟隨劉禪從蜀國來的大臣都忍不住懷念故國而流淚，可是劉禪卻忘記了亡國之痛，談笑自若。當司馬昭問他還想不想念蜀國時，劉禪竟說：「這裏十分快樂，我再也不思念蜀國了。」

出處：見《三國志・蜀書・後主禪傳》

釋義：快樂得不再思念蜀國；比喻樂而忘返或樂而忘本。

近義：樂而忘返　　**反義：**心繫故國

【十六畫】

464. 曉風殘月

典故：柳永是北宋的著名詞人，詞風婉約。他有一首詞，題為《雨霖鈴》，鋪寫離別的情境曲盡其意。詞中有這樣三句：「今宵酒醒何處？楊柳岸，曉風殘月。」詞人想像今宵別後旅途中的景況：小舟靠岸，酒醒夢回，但見曉風輕拂，一彎殘月懸掛在楊柳梢頭。這三句點染出一幅淒冷清麗的畫面，成為絕妙佳句，也成為柳永婉約詞風的生動寫照。

出處：見《樂章集》

釋義：破曉輕清的風，殘缺欲落的月，形容冷落淒涼的秋晨景象。

近義：夕陽黃昏　　**反義：**花好月圓

465. 錦上添花

典故： 王安石是北宋著名的政治家和文學家，曾任宰相，主持變法。晚年退隱時，得到朝廷豐厚的賞賜。他有感而發，作了一首詩，最後幾句的意思是：接受熱情的款待，美酒一杯杯，好歌聽不完；酒宴豐盛，更逢美景良辰，真是錦上添花了。

出處： 參見「372·雪中送炭」/《臨川先生文集·即事》

釋義： 在美麗的織錦上再繡上花；比喻美上加美，好上加好。

近義： 盡善盡美　　**反義：** 雪上加霜

466. 獨當一面

典故： 楚、漢相爭時，楚霸王項羽率軍攻打漢軍，漢軍抵擋不住。漢王劉邦十分憂慮，便問謀士張良，誰能助他對付項羽。張良回答說：「在你的將領中，只有韓信可以托付大事，獨力擔當這方面的重任。」劉邦採納了張良的建議，重用韓信。後來，韓信果然幫助劉邦打敗項羽，統一了天下。

出處： 見《漢書·張良傳》

釋義： 獨力擔當某方面的重任，表示能力高強。

反義： 難當大任

467. 戰戰兢兢

典故：中國最早的詩歌總集《詩經》，許多篇章都是反映西周時
代社會現實的。其中，《小旻》一詩，反映了西周後期周
天子失政，老百姓心中恐懼不安的情狀，詩中有這樣的句
子：「戰戰兢兢，如臨深淵，如履薄冰」。意思是說，一
步一驚心，像走近深淵邊緣，又像在結著薄冰的水上行
走。

出處：見《詩經‧小雅‧小旻》

釋義：恐懼警戒、小心翼翼的樣子。戰戰，害怕發抖的樣子；兢
兢，小心謹慎的樣子。

近義：誠惶誠恐／小心翼翼　　**反義：**神色自若

468. 隨波逐流

典故：戰國末年，愛國詩人屈原被楚王放逐。他憤於楚國政治腐
敗，楚王被奸臣所迷惑，因此面容憔悴、心情鬱結地在江
邊行吟徘徊。當時，江邊有一位漁夫對他說：「全世界都
那麼污濁了，你為甚麼不像其他人一樣隨波逐流呢？」但
屈原志行高潔，「出污泥而不染」，不願與世浮沉、同流
合污，最後便投江而死。

出處：見《史記‧屈原賈生列傳》

釋義：隨著波浪起伏，順著流水飄蕩，比喻缺乏主見，盲目跟從
別人行動。隨，跟隨；逐，追趕、跟著。

近義：隨俗浮沉　　**反義：**特立卓行

469. 磨杵成針

典故：相傳唐代詩人李白在年少的時候，讀書不大用功，經常拋下書本，出外遊逛。一天，李白來到一條流水琤琮的小溪邊，看到一位老婆婆正在石頭上磨鐵杵，他便好奇地問道：「阿婆，你磨這玩意有甚麼用？」老婆婆一邊磨，一邊回答說：「我要把它磨成一根針。」李白不覺笑了起來：「這不是開玩笑嗎？鐵杵怎能磨成針？」老婆婆看了李白一眼說：「只要有恒心，天天不斷地磨，怎見得不能成功呢？」李白覺得老婆婆的話很有道理，深受啓發。從此，他便發奮讀書，學業不斷進步。

出處：見《方輿勝覽·磨針溪》

釋義：把一根鐵杵磨成針，比喻只要有毅力，肯下功夫，就一定能把事情做成功。杵，舂米或捶衣用的棒。

近義：水滴不穿／鍥而不捨　　**反義**：半途而廢／一曝十寒

470. 黔驢技窮

典故：從前，貴州地方不產驢子，有一個好事的人從外地帶來了一頭，把牠放在山下。有一隻老虎見了這頭驢子，不覺大吃一驚說：「這個龐然大物，究竟是何方神聖呢？」老虎不敢靠近牠，只是躲在林蔭深處偷偷地觀察。一天，驢子忽然大叫一聲，老虎嚇得掉頭就跑，以為驢子是要來吃牠了；後來，老虎反覆觀察，覺得驢子並沒有甚麼特別的本領，也漸漸聽慣了牠的叫聲。又過了一些日子，老虎便接近驢子，故意逗牠、撞牠；驢子大發脾氣，舉蹄猛踢。這下，老虎不禁大喜，知道驢子的本領不過如此，便撲上去把牠咬死吃掉了。

出處：見《河東先生集·黔之驢》

釋義：比喻有限的一點兒本領已經用完，再也沒有甚麼辦法了。黔，貴州省的簡稱；技，技能、本領；窮，盡。

近義：束手無策　　**反義**：神通廣大／巧變百出

471. 舉案齊眉

典故： 東漢時候，有個書生名叫<u>梁鴻</u>，隱姓埋名，與妻子<u>孟光</u>，
過著清苦的生活。<u>梁鴻</u>天天出去幫人家舂米或種地，<u>孟光</u>
在家裏紡紗織布。每天，當<u>梁鴻</u>收工回家時，<u>孟光</u>就托著
放有飯菜的盤子，恭恭敬敬地送到他面前。為了表示對丈
夫的尊敬，她不仰視<u>梁鴻</u>，而把盤子托得與眉毛一樣高，
<u>梁鴻</u>也總是很有禮貌地雙手接過盤子。

出處： 見《後漢書·梁鴻傳》

釋義： 把托盤舉得和眉毛齊高；指妻子對丈夫十分尊敬，也形容
夫妻相敬相愛。案，盛食物的托盤，木製，有腳。

近義： 相敬如賓／琴瑟調和　　**反義：** 夫妻反目／河東獅吼

【十七畫】

472. 鍥而不捨

典故： <u>戰國</u>時代的儒家大師<u>荀子</u>，也是一位教育家。他寫了一篇
名叫《勸學》的文章，運用許多確切的比喻，來勸導人們
堅持不懈地認真學習。文中有這樣一句話：「鍥而舍之，
朽木不折；鍥而不舍，金石可鏤。」意思是說，刻一下就
停下手來，腐爛的木頭也刻不斷；不停地刻下去，即使是
堅硬的金屬或石頭，也可以刻穿。

出處： 見《荀子·勸學》

釋義： 不停地雕刻，毫不放鬆；比喻持之以恒，堅持不懈。鍥，
用刀子刻；捨，本作「舍」，放棄。

近義： 堅持不懈／持之以恒　　**反義：** 半途而廢／一曝十寒

473. 縱虎歸山

典故：春秋時代，秦國和晉國在崤山打了一仗。晉軍大敗秦軍，
俘虜了秦軍的三個主將。秦國為晉襄公母親的娘家。襄公
聽從母親的話，把他們放回國。晉軍的軍師先軫聽到這個
消息，怒氣衝衝地去責問晉襄公，唾了襄公一臉口水，大
聲說道：呸，你這小子，竟不懂事到這個田地。我們千辛
萬苦，才把他們捉住了，你竟聽婦人的片言隻語把他們放
走，真是放虎歸山，將來後悔就太遲了。先軫的話一完，
晉襄公馬上派人去追，但哪裏還能追得到呢！

出處：見《東周列國志》

釋義：捉住了老虎又放牠回山；比喻放走敵人，留下禍根。

近義：養虎遺患/姑息養奸　　　**反義**：斬草除根/引蛇出洞

474. 濫竽充數

典故：戰國時候，齊宣王喜歡聽吹竽，每次都要由三百人組成的
樂隊一起吹奏。有一個叫南郭先生的，本來不會吹竽，卻
也冒充能手，混進了這樂隊。每當演奏的時候，他也裝著
在吹奏的樣子。日子一天天地過去了，誰也沒有發現他的
秘密，而他同樣也得到齊宣王的賞賜。後來齊宣王死了，
繼位的齊泯王喜歡每個人單獨吹竽給他聽，南郭先生自知
怎也混不下去了，只好悄悄地溜走。

出處：見《韓非子·內儲說上》

釋義：比喻沒有真才實學而勉強佔一席位，只為了湊足數目而
已；也用作自謙之辭。濫，這裏指不合格；竽，一種簧管
樂器；充數，湊數。

近義：尸位素餐/魚目混珠　　　**反義**：貨真價實/寧缺毋濫

475. 點石成金

典故：晉朝時候，有個縣官名叫許遜，原是一個道士。據說他有高妙的法術，老百姓稱他為「許真君」。有一年發生天災，當地百姓交不起田租，便請許遜作法解救。許遜搬來許多石頭，作法一番，唸著咒用手指一點，石頭都變成了金子；他把金子分給百姓，助他們渡過了難關。

出處：見葛洪《神仙傳》

釋義：比喻把價值低微的東西，變成寶貴的物品；多比喻善於修改詩文，略加點撥，即成為佳作。也作「點鐵成金」。

反義：黃金變土

476. 豁然開朗

典故：據說晉朝時候，有一個漁夫，划著船沿溪打魚，不覺迷了路。忽然看見一片桃花林。再往前行，桃林盡處，便是溪流源頭。源頭有一座小山，山前有個洞口，洞裏好像有點亮光，漁夫便下了船從洞口鑽進去。開始時路很窄，只勉強可讓一個人通過，但走了幾十步後，豁然開朗，眼前展現出一片平地，有屋舍人家，這就是所謂「世外桃源」。

出處：參見「166·世外桃源」/見《陶靖節集·桃花源記》

釋義：形容環境由窄小幽暗一變而為開闊明亮，也形容學習上忽然有所領悟。豁，開闊明亮；豁然，開闊明亮的樣子。

近義：茅塞頓開　　**反義：**百思不解

477. 螳臂擋車

典故：春秋時候，衛靈公的兒子蒯瞆非常凶狠，經常隨便殺人。
一次，魯國的名士顏闔來到衛國遊歷，衛靈公打算聘請他
當自己兒子的老師。顏闔對蒯瞆的為人有所了解，是否應
聘，拿不定主意，便去請教衛國的賢人蘧伯玉。蘧伯玉勸
告顏闔說：你知道螳螂嗎？牠橫在路上，不顧車輪正朝牠
滾來，奮力舉起兩條前腿，想阻擋車輪行進，結果被車輪
輾得粉碎。螳螂之所以被輾死，是因為牠不自量力。如果
你也不自量力，想去教誨蒯瞆，恐怕也要落得與螳螂一樣
的下場。顏闔聽了，便決定不應聘。

出處：見《莊子‧人間世》

釋義：螳螂以牠的前腿來阻擋前進中的車輪；比喻不自量力，結
果必然失敗。

近義：以卵擊石　　**反義：**泰山壓頂

478. 蕭規曹隨

典故：蕭何和曹參同是漢朝的開國功臣。蕭何首任丞相，制訂了
一套完備的規章制度；他去世後，曹參繼任丞相，完全依
照他的規章辦事，不作絲毫的更改。因此，漢代的大詞賦
家揚雄這樣讚歎漢初的人才：「蕭規曹隨，張良制訂策
略，陳平屢出奇計，他們的功績就像泰山那樣高大。」

出處：見《昭明文選‧解嘲》

釋義：蕭何制定的規章制度，曹參完全依循；比喻後人按照前人
的成規辦事。蕭，蕭何；曹，曹參。

近義：陳陳相因／一仍舊章　　**反義：**除舊佈新／別出機杼

479. 鞠躬盡瘁

典故：三國時代，諸葛亮輔助蜀漢後主劉禪，以北抗曹魏，復興漢室為己任。他在臨出兵伐魏時，先後寫了兩篇《出師表》進呈後主，其中《後出師表》的末尾兩句寫道：「臣鞠躬盡力，死而後已。」表明了諸葛亮為復興漢室，不惜竭盡勞苦、貢獻一切的決心。

出處：見《三國志·蜀書·諸葛亮傳》

釋義：不辭勞苦，盡心盡力效勞。鞠躬，彎著身子，表示恭敬；盡瘁，竭盡勞苦。

近義：盡心竭力/竭智盡忠　　反義：敷衍塞責/潔身自好

【十八畫】

480. 雞鳴狗盜

典故：戰國時候，齊國的孟嘗君養了很多食客。有一次，孟嘗君出使秦國，被秦王拘禁，其中一個會裝成狗的食客，潛入秦宮偷出皮裘，送給秦王的愛妃，使她放了孟嘗君。在逃走時，來到函谷關，正是深夜，又有一個會扮雞叫的食客，使城中的公雞提早啼叫，騙開城門，孟嘗君終於得以安全脫身。

出處：見《史記·孟嘗君列傳》

釋義：能學雞啼叫，學狗偷盜；比喻微末技能，也指只有微末技能的人。

近義：雕蟲小技　　反義：屠龍之技

481. 覆水難收

典故： 姜尚是古代的一位賢人。傳說在他還未建立功業時，經常
在小河邊用不掛魚餌的直鉤釣魚；妻子馬氏見他年紀漸
老，一事無成，便棄他而去。後來，姜尚協助武王建立了
周朝，被封為齊國的國君。姜尚在赴齊國途中遇見一個婦
人，跪在路上，正是他的前妻馬氏。馬氏跪地叩頭，涕淚
縱橫，請求恢復夫妻關係。姜尚把一壺水倒在地上，然後
對馬氏說：「如果我和妳還有可能恢復夫妻關係的話，那
麼這壺潑出的水，妳一定能夠收回啊！」表明他不願再和
馬氏復合。

出處： 見王楙《野客叢書》

釋義： 倒在地上的水難再收回來；比喻事情已成定局，無法挽
回。

近義： 木已成舟　　**反義：** 破鏡重圓

482. 雙管齊下

典故： 張璪是唐代著名的畫家，善於繪畫山水松石。據宋朝詩人
郭若虛記載，張璪在繪畫上有一絕技，就是他能雙手同時
各握一筆，繪畫松樹：一支筆畫新枝，另一支筆畫枯幹，
新枝如含春露，枯幹似經秋霜，各盡其妙，妙趣橫生。

出處： 見《圖畫見聞志》

釋義： 雙手握筆同時繪畫；比喻兩件事情同時進行。管，毛筆。

近義： 齊頭並進／左右開弓　　**反義：** 孤掌難鳴

483. 鞭長莫及

典故：春秋時候，楚國攻宋，宋國向晉求救。晉景公想要派兵求援，大臣伯宗認為不可，勸諫說：「古人有一句話，叫做『鞭子雖然長，不能打在馬肚子上。』楚國正當強盛的時候，上天也保祐它，不宜和它爭鋒。晉國雖然是一個大國，但是也不能違反天意啊！」景公聽了伯宗的話，便停止發兵。

出處：見《左傳·宣公十五年》

釋義：原指即使有力量，也不能用在不應該用的地方；後來用以比喻雖然願意去做，但是力量達不到。及，達到。

近義：無能為力　　反義：力所能及

【十九畫】

484. 廬山真面

典故：宋代的文學家蘇軾，有一首描寫廬山的詩，題為《題西林壁》，詩的全文是：「橫看成嶺側成峰，遠近高低各不同。不識廬山真面目，只緣身在此山中。」這首詩，寫出了廬山變幻多姿的面貌：橫看是綿延起伏的巨嶺，側看是層層聳立的奇峰，遠一些看，近一些看，或高一點看，低一點看，姿態景色各有不同；置身於廬山中，簡直無法識別它究竟是怎樣的一副真面目。

出處：見《東坡七集》

釋義：廬山的真實面目；比喻事物的真相，或人的本來面目。廬山，在江西省九江市南，風景美麗，為中國的名山。

近義：本來面目　　反義：喬裝打扮

485. 鵬程萬里

典故：傳說在北方的大海裏，有種大魚名叫「鯤」。鯤十分巨大，且能變成鳥，名叫「鵬」。鵬也很大，牠的背有幾千平方里。大鵬一怒而飛，張開兩隻翅膀，黑壓壓的就像遮蓋半天的烏雲。每當冬天海潮運轉時，牠就要從<u>北海</u>遷居到<u>南海</u>去。當大鵬鳥從北方起飛，遷往<u>南海</u>時，翅膀一撲，就能擊起三千里的巨浪，牠乘著一陣暴風，直飛上雲霄，一衝就是九萬里。

出處：見《莊子·逍遙遊》

釋義：大鵬可以遠飛萬里；比喻前程遠大，無可限量。鵬，傳說中的大鳥，一飛就可以飛得很遠。

近義：錦繡前程／前程萬里　　**反義：**窮途末路／日暮途窮

486. 攀龍附鳳

典故：<u>西漢</u>的開國皇帝<u>劉邦</u>出身寒微，本是一個縣的小吏。他的一班開國功臣，也都出身平民階層，如舞陽侯<u>樊噲</u>，原是屠狗的；<u>汝陰侯</u> <u>夏侯嬰</u>，原是馬伕；<u>潁陰侯</u> <u>灌嬰</u>，原為小商販；<u>曲周侯</u> <u>酈食其</u>，原為小吏。但<u>這些</u>人，都因為依附<u>劉邦</u>，幫他在<u>楚</u> <u>漢</u>相爭中打敗項羽，統一天下，獲得封侯賜爵，位列朝班。因此，史書上稱他們「攀龍附鳳，並乘天衢。」

出處：見《漢書·敘傳下》

釋義：攀附龍，依附鳳；比喻巴結、投靠有權勢有地位的人。龍、鳳，這裏比喻有權勢有地位的人。

近義：趨炎附勢／攀高接貴　　**反義：**孤標傲世／剛正不阿

487. 難兄難弟

典故：東漢時候，名士陳寔有兩個兒子：大兒子叫陳紀倆，字元方；小兒子叫陳湛，字季方。兄弟倆品學兼優，不相上下。當時有人稱讚他們父子三人為「三君」。有一次，元方的兒子長文，與季方的兒子孝先，各自誇耀其父的功德，爭了起來，互不相讓，便一同去問祖父陳寔。陳寔笑著說：「元方難為兄，季方難為弟。」

出處：見《世說新語・德行》

釋義：原指兄弟兩人品德才學都好，難以分出優劣高下；現多指曾共患難或同處困境的兩個人或一群人。

近義：不相上下/不分軒輊　　**反義：**大相徑庭/判若雲泥

【二十畫】

488. 懸壺濟世

典故：東漢方士費長房，曾為汝南（今屬河南省）市掾。市中有一賣藥翁不知姓甚名誰，大家稱他為壺公，日間懸一壺（葫蘆）於座上，傍晚即跳入壺中。費長房見而奇之，便恭敬地拜見壺公，想探個究竟；壺公請他一起鑽入壺中看看，原來壺中別有天地，瓊樓玉宇，奇花異草，儼然神仙境界。於是費長房便跟隨壺公學得方術，辭歸時獲贈竹杖符咒，行走如飛。從此，費長房能醫百病，驅瘟疫，起死回生。這乃是一則神話傳說，後人便用「懸壺濟世」來指稱行醫救人。

出處：見《後漢書・費長房》/《後漢書・方術列傳下》

釋義：公開行醫。懸壺，行醫的意思。也作「懸壺問世」。

近義：仁心仁術

489. 懸崖峭壁

典故： 古典小說《水滸傳》裏有這樣一個故事情節：梁山好漢被朝廷招安後，宋江、盧俊義奉命伐遼。在進攻幽州時，盧俊義所部被遼軍誘入一個叫青石峪的峽谷中。約莫二更時分，廝殺停了下來，眾人趁著星光，定睛一看，四面盡是高山，左右是懸崖峭壁，前無出路，後無退步。外圍有遼軍重重圍困。後來，幸得宋江帶兵前來解救，盧俊義的人馬才得脫離險境。

出處： 見《水滸傳》第八十六回

釋義： 高聳而陡直的山崖；形容山勢險峻。懸崖，高聳的山崖；峭壁，陡直的山崖，也作懸崖削壁、懸崖絕壁。

近義： 崇山峻嶺

490. 騰雲駕霧

典故： 古典小說《西遊記》裏有這樣一個情節：唐三藏與孫悟空等師徒一行投宿到一座觀音禪院，院中一個自稱二百七十歲的老和尚見到三藏那件珍貴的袈裟，頓起賊心，設計陷害三藏師徒，圖謀佔奪這件寶物。但其計謀為孫悟空所破，只是袈裟又轉而被寺院東南邊的黑風山妖怪竊走。孫悟空從和尚口中探明情況後，便急縱筋斗雲，直上黑風山去尋那妖怪。眾和尚見孫悟空一個筋斗便飛上雲端，個個都嚇得朝天禮拜道：「原來是騰雲駕霧的神聖下界！」

出處： 見《西遊記》第十六至十七回

釋義： 乘著雲彩，駕著霧靄；原指利用法術駕雲飛行，現多用來形容行走速度極快或暈頭轉向。

近義： 風馳電掣　　**反義：** 蝸行牛步

491. 鰲頭獨佔

典故： 唐、宋時代，實行科舉考試制度，中式者第一名稱狀元及
　　　　第。當時，皇帝殿前正中石階上刻有龍和鰲的浮雕。放榜
　　　　時，第一名狀元會站在刻有鰲頭的石階上迎接皇榜，因此
　　　　後來便稱高中狀元的人為鰲頭獨佔。

出處： 見《北江詩話》

釋義： 科舉時代作為狀元及第的代稱，現用以比喻居於首位。
　　　　鰲，傳說能在海上負起大山的一種大海龜。

近義： 名列前茅／無出其右　　　**反義：** 名落孫山

【廿一畫】

492. 鶴立雞群

典故： 西晉時候，有一個名士名叫嵇紹，是「竹林七賢」之一嵇
　　　　康的兒子。嵇紹生得身材魁梧，儀表堂堂。晉武帝司馬
　　　　炎請他出來做官；嵇紹應召來到洛陽。有人見到嵇紹，便
　　　　對他父親生前的好友王戎說：「我見到了嵇紹，他生得英
　　　　偉非凡，在人群之中，就像一隻白鶴站在一群雞當中一
　　　　樣。」

出處： 見《世說新語・容止》

釋義： 像白鶴站在雞群裏；比喻某人的體態、儀表或才能明顯地
　　　　超出一般人。

近義： 秀出班行／出類拔萃　　　**反義：** 相形見拙

【廿二畫】

493. 囊螢映雪

典故：晉朝時候，有一個窮苦人家的孩子，名叫車胤，很喜歡讀書。車胤白天要幫助父親耕田，晚上想讀書而沒有錢買油點燈。於是，每年夏天，他便做了一個紗袋，捕捉一些螢火蟲放在裏面，借囊螢之光徹夜苦讀。後來，車胤終於成為一個很有學問的人，並做了大官。同樣是在晉代，又有一個窮孩子孫康，也很喜歡讀書。可因為家境清貧，晚上想讀書卻沒有錢買油點燈。於是，每到冬天，他就在雪地上借著積雪反映出來的亮光，忍凍苦讀。孫康後來也成了一個有名的學者。

出處：參見「298‧刺股懸樑」/《晉書車胤傳》/廖用賢《尚友錄》

釋義：借囊螢之光讀書，借映雪之光讀書；比喻勤學苦讀。

近義：刺股懸樑/鑿壁偷光　　**反義**：無心向學

494. 疊床架屋

典故：南朝蕭齊時代的毛棱，和他父親毛惠遠、叔父毛惠秀，都是著名的畫家。但評論家認為，他們的作品各有優點和缺點。如毛棱的畫，下筆敏捷而精細不足，構圖佈局，有「床上安床」的多餘筆墨。晉朝時候的庾仲初善於作賦，所寫的《揚都賦》，很受讚美，但名士謝安卻批評它不夠精煉，有「屋下架屋」的弊病。

出處：見《續畫品》/《世說新語》

釋義：床上安床、屋下架屋；比喻重複累贅。

近義：畫蛇添足　　**反義**：簡明扼要

【廿三畫】

495. 竊竊私語

典故： 唐代詩人白居易的長篇敘事詩《琵琶行》，寫他被貶官期
間，在潯陽江的船上與一位歌女萍水相逢、聽她彈奏琵琶
的情景。詩中有一段摹寫琵琶聲的，寫得十分形象，十分
生動。其中有這樣兩句：「大弦嘈嘈如急雨，小弦切切如
私語。」在這裏，詩人用「嘈嘈」、「切切」的疊字詞摹
聲，又用「如急雨」、「如私語」作譬，使樂聲形象化。

出處： 參見「80‧千呼萬喚」／《白氏長慶集》

釋義： 私下小聲說話。竊竊，聲音細小。

近義： 低聲細語／交頭接耳　　**反義：** 大聲疾呼／侃侃而談

496. 驚弓之鳥

典故： 戰國時候，魏國有個神箭手名叫更羸。一天，他和魏王一
起散步時，天空中飛過幾隻大雁，便對魏王說：「我不用
箭，只要一拉弓，就可以把鳥射下來。」魏王半信半疑。
過了一會，一隻大雁從東方飛來，更羸舉起弓，不搭箭，
拉了一下弓弦，「咚」一聲響，大雁便應聲掉了下來。魏
王大吃一驚，嘖嘖稱奇。更羸解釋說：「這並不是我有甚
麼神奇的本領，而是我發覺這隻雁受過傷，驚魂未定；牠
一聽到弦響，就拼命往高處飛，一使勁，傷口又裂開，忍
不住疼痛，就掉了下來。」

出處： 見《戰國策‧楚策四》

釋義： 被弓箭嚇怕了的鳥；比喻受過驚嚇或打擊的人，再遇到類
似情況就會驚恐不安。

近義： 心有餘悸　　**反義：** 初生之犢

497. 驚心動魄

典故： 春秋末期，越國被吳國所滅。越王勾踐為了迷惑吳王夫差，瓦解吳國，選了西施和鄭旦兩名美女獻給吳王。吳王把西施和鄭旦安置在宮中，當兩個美女當窗並坐、對鏡梳妝的時候，看到她們的人，無不「動心驚魄」，神魂顛倒，都認為西施和鄭旦是天上的仙女下凡。而西施更是嬌嬈嫵媚，能歌善舞，完全把吳王迷住了。

出處： 見王嘉《拾遺記‧周靈王》

釋義： 形容感受極深，扣人心弦；也用來形容氣氛緊張，令人震恐。

近義： 觸目驚心　**反義：** 泰然處之／無動於衷

【廿四畫】

498. 靈機一動

典故： 古典小說《兒女英雄傳》裏有這樣一個故事情節：書生安千里帶著二千多兩銀子上路，投宿在一家客店裏；突然來了一個素不相識的漂亮女孩子，老是往他住著的客房裏看。安千里心裏發慌，又見房門壞了，關上會再自動打開，便要伙計把院子裏一個石滾子搬來把門頂死，不料這個女子又自告奮勇，幫他搬進房來，然後坐著不走。安千里心中暗暗著急，俄延了半晌，忽然靈機一動，心中悟將過來，拿出兩百枚銅錢作為酬勞，要打發這女子。

出處： 見文康《兒女英雄傳》第四回

釋義： 形容忽然產生靈感，想出好主意。靈機，靈活的心思。

近義： 情急智生／急中生智　　**反義：** 一籌莫展／無計可施

【畫】

躡手躡腳

典故：古典小說《紅樓夢》裏有這樣一個故事情節：一次，賈府女傭人周瑞的妻子奉命送花給鳳姐。她來到鳳姐庭院中，走進堂屋，看見有一個小丫頭坐在鳳姐房中的門檻上，向她擺手兒，叫她往東屋裏去。周妻會意，忙躡手躡足往東邊房裏來，只見奶媽正拍著鳳姐的女兒睡覺呢。

出處：見《紅樓夢》第七回

釋義：形容走路時腳步放得很輕，步步小心。

近義：輕手輕腳　　**反義：**橫衝直撞

500. 讚不絕口

典故：古典小說《紅樓夢》裏有這樣一個故事情節：一次，賈寶玉到瀟湘館來探訪林黛玉，薛寶釵也來了。他（她）們一起欣賞林黛玉剛寫好的五首絕句。這五首詩，是分別吟詠古代五個美女的，即西施、虞姬、明妃、綠珠和紅拂。寶玉看了，讚不絕口，並代命題為「五美吟」。寶釵也認為詩寫得很好，命意新奇，別開生面。

出處：見《紅樓夢》第六十四回

釋義：不住口地稱讚。絕口，閉口、住口。也作「稱不容舌」。

近義：拍案叫絕／交口稱譽　　**反義：**嗤之以鼻／眾口交彈